678.7

*R*ode wijn

ALLE INFORMATIE
VOOR DE LIEFHEBBER

Michael Edwards

Rode wijn

ALLE INFORMATIE
VOOR DE LIEFHEBBER

Michael Edwards

Librero

Dit boek is opgedragen aan dr. Teresa Challoner. Zonder haar hulp zou
het nooit geschreven zijn.

Oorspronkelijke titel: The Red Wine Companion.
© 1999 Librero b.v. (Nederlandstalige editie), Postbus 79,
5320 AB Hedel
© 1998 Quintet Publishing Limited
Ontwerp: Richard Dewing
Lay-out: Ian Hunt
Foto's: Adrian Swift
Productie: TextCase, Groningen
Vertaling: Elke Meiborg (voor TextCase)
Redactie: Linda Beukers (voor TextCase)
Zetwerk: Judith Huizenga (voor TextCase)

Distributie Vlaanderen: Boeken Diogenes bvba, Paulus Beyestraat 135,
2100 Deurne

ISBN 90 5764 073 2

10 9 8 7 6 5 4 3 2 1

Printed in China by Leefung Asco Printers Ltd.

INHOUD

Inleiding
6

DEEL 1

DE *geschiedenis van* RODE WIJN
7

Beknopt historisch overzicht 8

De kwaliteit van wijn 29

Rode wijn maken 36

Druivensoorten 40

Wijnen waarderen 46

DEEL 2

producenten VAN RODE WIJN
48

Klassieke wijnen 56

Kwaliteitswijnen 146

Rijzende sterren 216

Overzicht van wijnjaren 250

Woordenlijst 251

Register 254

Inleiding

De oude Griekse dichter Homerus was de eerste die vol lof schreef over rode wijn – zijn held Achilles droeg een schild met daarop een afbeelding van een wijngaard vol blauwe druiven. *Rode wijn* geeft een beknopte geschiedenis van de wijnbereiding en beschrijft een aantal rode kwaliteitswijnen.

In dit boek vindt u de zeer persoonlijke wijnkeuze van iemand die zijn leven voornamelijk doorbrengt met rondneuzen in wijnkelders. Als een echte traditionalist zoek ik naar balans en karakter in een wijn, niet naar kracht en technisch vernuft. Daarnaast moeten wijnen beschikken over een zekere complexiteit en strengheid om goed met eten samen te gaan. Goede wijnen zijn natuurlijk niet goedkoop, maar bij het samenstellen van het overzicht heb ik steeds getracht wijnen te zoeken die hun geld waard zijn.

INDELING VAN DE GIDS VOOR RODE WIJN

De wijnproducenten zijn niet ingedeeld naar land of streek, maar naar de typen wijnen die ze produceren en de manier waarop ze dat doen. Er zijn drie categorieën.

Klassieke wijnen: internationaal bekende namen; op traditionele, compromisloze wijze gemaakt. Het *terroir* waar de druiven groeien komt duidelijk tot uitdrukking. Niet alle 'klassiekers' komen uit Europa of Frankrijk; een paar van de allerbeste wijnen komen uit de Nieuwe Wereld.

Kwaliteitswijnen: modelvoorbeelden van wijnen uit een bepaalde *appellation*/streek. De producent is vaak vernieuwend bezig – een ware meester in zijn vak. Niet alle namen zijn bekend, al zitten er soms 'oude' namen bij die in hun vroegere glorie zijn hersteld.

Rijzende sterren: spreekt voor zich. Interessante producten die in de afgelopen 20 jaar ten tonele zijn verschenen en wellicht de klassiekers van morgen worden.

Waardering: alle geproefde wijnen komen in een categorie, van ★ (voldoende) tot ★★★★★ (voortreffelijk, groots).

DEEL EEN

DE
geschiedenis van
RODE WIJN

BEKNOPT HISTORISCH OVERZICHT

Het is onmogelijk te zeggen waar en wanneer er voor het eerst wijn werd gemaakt, want in tegenstelling tot destilleren en brouwen is vinificatie een proces dat zonder menselijke tussenkomst kan plaatsvinden. Een tros druiven valt van de rank, de schillen barsten open, het sap komt in contact met gisten in de lucht en na een poosje ontstaat zoiets als wijn. Dit fenomeen moet door onze vroegste voorvaderen zijn opgemerkt en is waarschijnlijk net zo oud als de mens zelf, althans in gebieden waar druiven in het wild voorkwamen.

De *Vitis vinifera* –wijnstok waarvan de meeste moderne wijndruiven afkomstig zijn– groeide al omstreeks 7500 v.Chr. in het Transkaukasische gebied dat nu Armenië en Georgië is. In de Oudheid kweekte men overal langs de Mid-

Reliëf in steen van Bacchus, de god van de wijn.

dellandse Zee wijnstokken. In de graven van farao's (ca. 2000 v.Chr.) zijn gedetailleerde afbeeldingen te vinden van elk stadium van de wijnbereiding in het oude Egypte. Hier liepen volgens de vermaarde schrijver Hugh Johnson vaklieden rond die "de kwaliteit van een wijn even overtuigend en professioneel konden beoordelen als een 20e-eeuwse wijnhandelaar".

Wijn was een onmisbaar onderdeel van het dagelijks leven van de oude Grieken. In Homerus' epische dichtwerk de *Ilias* wordt de ideale wereld verbeeld als een idyllische, omsloten wijngaard vol blauwe druiven. Onder de Myceners (ca. 1600-1100 v.Chr.) werden Griekse wijnen geëxporteerd naar Egypte, Syrië, de Balkan, Sicilië en Zuid-Italië. Later, omstreeks 600 v.Chr., stichtten Grieken uit Phocaea de stad Massalia (Marseille) in Zuid-Frankrijk en introduceerden daar wijnstokken en olijven.

Ook in de Romeinse cultuur was wijn heel belangrijk, vooral voor de economie. De grote Romeinse schrijvers Plinius en Columella beschreven verschillende druivensoorten, maar het is moeilijk om na te gaan of dit de voorlopers van moderne variëteiten zijn. Leuker is het om de krachtige Zuid-Italiaanse wijn van de aglianico-druif (die uit het oude Griekse rijk schijnt te stammen), gemaakt door goede producenten als Mastroberardino van Avellino of de gebroeders d'Angelo in Basilicata, zelf te proeven.

De eerste rode kwaliteitswijn uit Frankrijk was een noordelijke Rhône-wijn – later beroemd onder de naam Côte Rôtie ('geblakerde helling'). De eerste wijngaarden van Bordeaux en Bourgogne werden al in de 3e eeuw geplant; in de 4e en 5e eeuw volgden wijngaarden in Île-de-France, Champagne en de Loire-vallei. Na de ondergang van het Romeinse Rijk trad het –in naam– christelijke Frankrijk een duister tijdperk binnen dat 300 jaar duurde, tot Karel de Grote de Franse troon besteeg. Hij koloniseerde heel Duitsland, Lombardije en zelfs delen van Spanje en verenigde dit gebied op Kerstmis van het jaar 800 tot het Heilige Roomse Rijk. Onder zijn bewind bloeiden kloostergemeenschappen op en zij ontwikkelden zulke goede methoden voor de verzorging van wijnstokken en wijn, dat hun ideeën nog steeds navolging vinden onder traditionele wijnmakers.

BOURGOGNE... DE EERSTE PERFECTIONISTEN

De cisterciënzers waren de absolute wijnvirtuozen van de Middeleeuwen. Hun geschiedenis begint in 1112, toen een jonge ascetische monnik, Bernard de Fontaine, een afgesplitste groep van dertig novicen van de Abdij van Cluny meenam naar een nieuw klein klooster in Citeaux in de Côte d'Or van Bourgogne. Hun leefwijze was moordend – de monniken werden gemiddeld niet ouder dan 28 jaar. Hun dagelijkse werk bestond uit urenlang stenen breken in verwaarloosde wijngaarden. Maar tegen de tijd dat St.-Bernard stierf, in 1153, maakten de cisterciënzers wijn in vrijwel elk dorp van de Côte d'Or.

16e-eeuws tapijt waarop de wijnbereiding
is afgebeeld.

De cisterciënzers waren model-*vignerons*. Ze onderzoch-
ten wat de beste druiven waren, maakten wijn met de grootste zorg en verbeterden hun vaardigheden en vergrootten
hun kennis door constant te experimenteren. Volgens Lalou
Bize-Leroy, een bekende bourgogne-producent, proefden de
cisterciënzers zelfs hapjes grond om het ene stuk land van
het andere te onderscheiden. Zij ontwikkelden het idee van
de *cru* (letterlijk 'gewas') – een homogeen deel van een wijngaard met een heel eigen smaak en karakter. Zo verspreidde
de faam van de bourgogne zich dankzij de Kerk door heel

Europa. Met name de 14e-eeuwse pausen waren dol op
bourgogne-wijnen.

Bij goede rode bourgognes is snelle, grootschalige uitbreiding nooit een doel geweest; bij deze wijn gaat het erom de
volmaakte pinot noir te produceren. De beste bourgogne
wordt in kleine hoeveelheden gemaakt. Dat is zeker het geval
sinds de Franse Revolutie in 1789, toen de macht van de
kloosters werd ingeperkt en de landgoederen van de aristo-
cratie van het *ancien régime* in kleine stukken werden opge-
deeld.

19e-eeuwse ets van een druivenoogst in Bordeaux, bij de zuidelijke oever van de Gironde, boven Pauillac; de toren van Château Latour is zichtbaar door de bomen aan de overkant.

BORDEAUX EN ENGELAND

Sinds Gascogne in 1154 in Engelse handen kwam door het huwelijk van koning Hendrik II en Eleanora van Aquitaine, is rode bordeaux een geliefde wijn in Engeland. '*Claret*', het Engelse koosnaampje voor deze wijn, komt van het Franse woord *claire*, wat licht en helder betekent; de bordeaux uit de Middeleeuwen was dan ook eerder roze dan rood en niet bedoeld om te bewaren. In 1203 schafte koning Jan, zoon van Hendrik II, de hoge belasting op de wijnexport af. Nog geen 50 jaar later kwam 75% van alle wijn voor het Engelse hof uit Bordeaux. In 1307 bestelde Edward II het equivalent van 115 miljoen flessen rode bordeaux voor zijn bruiloft!

Zelfs toen Gascogne aan het eind van de 100-jarige oorlog weer in Franse handen kwam, bleven de *Bordelais* hun wijnen naar Engeland verschepen, al werd de vraag minder omdat de praktische Hollanders de markt begonnen te domineren met hun goedkope, donkere wijnen. Bordeaux werd in vaten verscheept, tot de komst van glas en kurk omstreeks 1630; toen werd het mogelijk om de wijn meerdere jaren in een luchtdichte fles te laten rijpen.

Frankrijk

CALAIS

BELGIE

LUXEMBURG

DUITSLAND

Champagne

STRAATSBURG

PARIJS

Marne

Elzas

ORLEANS

Chablis

DIJON

Côtes de Nuits

Côtes de Beaune

NANTES

Loire-vallei

Cher

Loire

Chalonnais

ZWITSERLAND

Macconnais

Saône

Beaujolais

LYON

ITALIE

Médoc

Blayais

Dordogne

Noordelijk Rhône-gebied

Pomerol

Rhône

St. Emilion

BORDEAUX

Graves

Entre deux Mers

Sauternes

Zuidelijk Rhône-gebied

AVIGNON

Garonne

Armagnac

TOULOUSE

Languedoc

MARSEILLE

Rousillion

SPANJE

Château Longueville-Lalande in de Médoc werd
omstreeks 1840 gebouwd.

De Engelse schrijver Samuel Pepys maakte in 1663 een
aantekening over een geproefde wijn: "Ik heb een Franse
wijn met de naam Ho Bryan gedronken. Hij had een lekke-
re, heel aparte smaak die ik nog nooit eerder ben tegengekomen." Het ging hier om de Haut-Brion, de eerste bordeaux
die werd verkocht onder de naam van het *château* waar de
druiven groeiden. De eigenaar van het landgoed, Arnaud de
Pontac, noemde de wijn zijn *premier cru* ('eerste gewas'). De
Engelsen waren er dol op, dus stuurde hij zijn zoon naar
Londen om daar, in 1666, het eerste restaurant van de stad
te openen, Pontacks Head.

Toen grote landeigenaren uit de Médoc het succes van De
Pontac zagen, begonnen ook zij druiven te planten en de eerste vermeldingen van wijngaarden in Latour, Lafite en Margaux stammen uit deze tijd. In de 18e eeuw werden nog meer
beroemde wijngaarden aangeplant, zowel in de Médoc als
langs de rechteroever van de Gironde in Fronsac, St.-Émilion
en Pomerol. Het tijdperk van de wijn uit één wijngaard was
aangebroken.

Een nieuw type handelaars, vaak immigranten uit Noord-
Europa, trok naar Bordeaux en trad op als schakel tussen de
eigenaars van de wijngaarden en de (vaak buitenlandse)

Het oude stadje en de wijngaarden van St.-Émilion.

klanten. Deze machtige handelaars, de *chartronnais*, beheersten de wijnmarkt meer dan 200 jaar, tot omstreeks 1980. Nu, aan de vooravond van de 21e eeuw, met de toenemende concurrentie uit andere delen van de wereld, is het de consument die de touwtjes in handen heeft.

AAN DE OVERZIJDE VAN DE PYRENEEËN

Spanje heeft meer wijnbouw dan welk land ter wereld ook maar. Door het kurkdroge klimaat van de uitgestrekte vlakten van Castilië en het verbod op irrigatie is de Spaanse wijnproductie echter relatief klein vergeleken met die van Frankrijk en Italië. In 1492 bereikte Christoffel Columbus West-Indië en begon de Spaanse kolonisatie van Latijns-Amerika. In datzelfde jaar werden de moren in Granada verslagen en kwam er een eind aan het verlichte islamitische bestuur in Zuid-Spanje, waardoor wijn bescherming en waardering genoot.

Naast sherry en de zoete witte wijn van Málaga was er tot eind 19e eeuw weinig Spaanse wijn die het exporteren waard

Wijngaarden van de markies van Griñón, lid van een van de meest vooraanstaande wijnbouwersfamilies van Spanje.

Spanje

was. Maar omstreeks 1880 werden de Franse wijngaarden verwoest door de druifluis *phylloxera*, wat gunstig was voor Rioja aan de overkant van de Pyreneeën. Veel Franse wijnboeren trokken naar Rioja en brachten hun wijnkennis en hun houten *barriques* mee. De grote *bodega's* van Marqués de Murrieta en López de Heredia in Rioja werden opgericht en produceerden al gauw uitstekende rode wijnen die inmiddels tot de beste ter wereld behoren.

De eerste helft van de 20e eeuw was een tijd van ellende en ontbering, met name tijdens de Spaanse Burgeroorlog

(1936-1939). In de jaren '60 braken betere tijden aan en groeide de export van rioja explosief. Na de dood van generaal Franco in 1975 kwam er een welvarende middenklasse die geïnteresseerd was in goede wijnen en nu worden in heel Spanje steeds meer indrukwekkende rode wijnen van nog geen *f* 20,- per fles gemaakt, met name in Navarra, Penedés, Ribeiro del Duero en León.

De Italiaanse paradox

Italië is een land met een wijntraditie van enkele millennia oud, een land waar wijn werkelijk deel uitmaakt van het dagelijks leven. Paradoxaal genoeg was Italië tot voor kort echter ook het meest achtergebleven land op het gebied van de moderne wijnproductie. Tot de jaren '70 werden maar weinig van de betere wijnen geëxporteerd, met uitzondering van die uit Toscane en Piemonte; er gingen voornamelijk grote vaten wijn (*trattoria*-foezel) naar grote Italiaanse leefgemeenschappen in het buitenland, met name in de Verenigde Staten.

Italië is een potentieel wijnparadijs met meer dan 100 inheemse druivensoorten met een grote verscheidenheid aan smaken. Ondanks het respect voor traditie is de wijnbereiding er sinds de jaren '60 enorm verbeterd dankzij een nieuwe generatie getalenteerde, ruimdenkende producenten. Nergens is dit duidelijker te zien dan in Piemonte. Als u bij het woord *Barolo* denkt aan een groot rood tanninemonster, is de verfijnde, zachte versie van producenten als Aldo Vayra of Domenico Clerico een ware openbaring. In Toscane behoort het bezoedelde beeld van grote mandflessen vol chianti tot het verleden nu wijnmakers de traditionele (en zure) trebbiano uit hun wijnmelange hebben gehaald en zich concentreren op hogere percentages sangiovese die ze in nieuwe, kleine vaten *à la Bordelaise* laten rijpen. In het zuiden maken de bloedstollende rode wijnen van Puglia, ooit voornamelijk gebruikt om rode mengwijnen uit het noorden op te krikken, een comeback in de vorm van uitstekende negro amano's.

Italië

De wijngaarden van San Guido Sassicaia in
Toscane, Italië.

DE NIEUWE WERELD LONKT

De Amerikaanse wijngeschiedenis begint officieel omstreeks
1769, toen de franciscaanse priester Junipero Cerro de mis-
siepost San Diego stichtte – de eerste van een reeks katholie-
ke missieposten in Californië. De monniken maakten wijn
van de criolla-druif, een uit Europa geïmporteerd ras. Toch
werd er ver voor de komst van de franciscanen al wijn
gemaakt in Noord-Amerika. Volgens de Amerikaanse wijn-
historicus Leon D. Adams maakten Franse hugenoten in de
16e eeuw in Florida al wijn. Daarvóór nog plantte de gouverneur van Mexico, Cortez, wijnstokken in El Paso, dat nu
een deel van Texas is.

De wijngeschiedenis van Californië kent veel hoogte- en
dieptepunten. Speculanten verdienden fortuinen aan wijn,
die ze even snel weer verloren. De grootste tegenslag werd
echter veroorzaakt door de Prohibitie; in 1920 werd de hele
VS 'drooggelegd'. In 1933 kwam hier een eind aan. De
markt werd meteen overspoeld door druiven voor dessertwijnen. Pas in 1968 werd de consumptie daarvan overtrof-
fen door die van tafelwijnen.

Het eind van de drooglegging wordt gevierd in
New York, 1933.

Californië

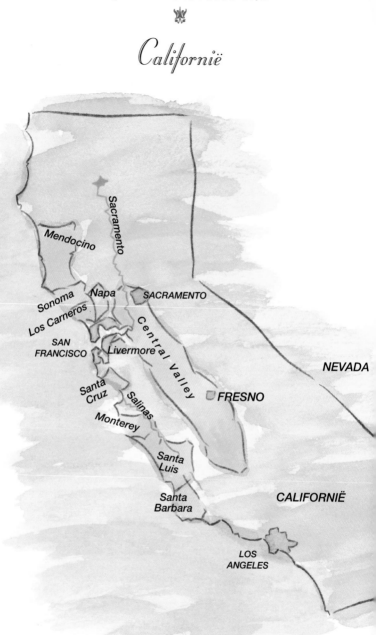

Een belangrijke reden voor het succes van de Californische wijnen is dat men sinds de jaren '70 druivensoorten als cabernet sauvignon en zinfandel gebruikt. Nu, eind 20e eeuw, kunnen Californische rode wijnen concurreren met 's werelds beste wijnen. De cabernets krijgen bij proeverijen regelmatig betere beoordelingen dan de verfijnde bordeauxwijnen en enkele wijnproducenten in Carneros en Santa Barbara maken een excellente pinot noir. De Californische wijn is volwassen geworden.

Nieuwe wijngaarden in Los Carneros in Sonoma.

'DOWN UNDER'

Wijnliefhebbers hebben vaak geen idee van de enorme afstanden die er tussen de ene Australische wijnstreek en de andere liggen; van het tropische West-Australische Swan River naar de koele Yarra-vallei in Victoria is net zo ver als van Spanje naar Noorwegen. Het is niet verwonderlijk dat Australië ook wel 'het Frankrijk van het zuidelijk halfrond' wordt genoemd – het land heeft het potentieel om goede wijnen van elk denkbaar type te produceren.

Rond 1850 beschikten de meeste Australische staten, behalve Queensland en het Northern Territory, over goedlopende wijngaarden. Tegen het eind van de 19e eeuw was de wijnkaart uitgebreid tot de huidige situatie. De periode 1900-1950 was een zware tijd voor de Australische produ-

Australië

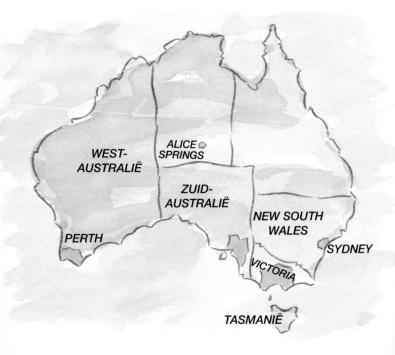

WEST-AUSTRALIË

ALICE SPRINGS

ZUID-AUSTRALIË

NEW SOUTH WALES

PERTH

SYDNEY

VICTORIA

TASMANIË

Wijngaarden in Barossa Valley, Zuid-Australië.

centen. De wijngaarden moesten inkrimpen door de groeiende vraag naar versterkte wijnen. Slechts een paar volhar-
dende bedrijven, zoals McWilliams en Hardy, bleven goede
wijn maken.

De ommekeer vond plaats in 1953. In dat jaar produceerde Max Schubert op Penfolds de eerste officiële Grange
Hermitage, die nu bekend staat als de beroemdste rode wijn
van Australië. Hij deed dit zeer tegen de zin van zijn bazen,
die van mening waren dat een pure shiraz-wijn nooit zou
verkopen.

Bijna een halve eeuw later heeft de wijnbouw in de koelere streken een spectaculaire comeback gemaakt. Uit het
nevelige Coonawarra-district in Zuid-Australië komen
momenteel de weelderigste rode wijnen van het continent,
hoofdzakelijk gemaakt van cabernet-druiven, met kruidige
en chocoladeachtige accenten die typerend zijn voor Australische wijnen.

NIEUW-ZEELAND

Buurland Nieuw-Zeeland is bekender om zijn schapen dan om zijn wijnen. De eerste wijngaarden op het Noordereiland werden al in 1820 geplant, maar pas 150 jaar later kregen de Nieuw-Zeelanders in de gaten dat hun koele klimaat ideaal was voor de teelt van klassieke druivensoorten. Marlborough Sauvignon Blanc met zijn weelderige tropischevruchtensmaak was in de jaren '90 een rage in Londense restaurants. De Nieuw-Zeelandse pinot noir heeft het volgens mij in zich om een verfijnde rode wijn op te leveren die zich kan meten met een middenklasse bourgogne.

Nieuw-Zeeland

Auckland

NOORDEREILAND

Gisborne

Hawkes Bay

Nelson

Blenheim

Wairarapa

Canterbury

Christchurch

ZUIDEREILAND

Otago

QUEENSTOWN

GOEDE HOOP VOOR DE KAAP

De wijngeschiedenis van Zuid-Afrika begint in 1656, toen Jan van Riebeeck, gouverneur van de Kaapkolonie, de eerste stekjes plantte aan de voet van de Tafelberg. Toch kreeg de wijnbouw pas 30 jaar later een serieuze impuls van de naar

Schilderij uit 1849 van de Paarl-vallei in de Kaap-provincie.

Laborie, hoofdkantoor van de KWV, de machtige wijncoöperatie van Zuid-Afrika.

Afrika gevluchte Franse hugenoten. Hun nakomelingen maken nog steeds wijn rond Paarl en Stellenbosch.

Begin deze eeuw werd de wijnbouw in Zuid-Afrika vooral gekenmerkt door enorme wijnoverschotten. In 1918 werd een machtig systeem van coöperaties ingesteld door de Koöperatieve Wijnbouwers Vereniging (KWV). Het streven van de KWV –overproductie tegengaan– was lovenswaardig, maar de beperkende regels voor het planten van nieuwe wijngaarden belemmerden tot voor kort alle vooruitgang. Gelukkig is het aantal particuliere wijnbouwers in de jaren '90 gegroeid. De kwaliteit van de nieuwe rode wijnen is wisselend door kruisingen met een 'ongelukkige' cabernetsoort, maar een shiraz van topproducenten als Fairview en Paarl of een pinot noir van Hamilton Russel uit Hermanus zijn wijnen van wereldklasse.

Zuid-Afrika

PRETORIA

NAMIBIE

JOHANNESBURG

LESOTHO

DURBAN

Olifantsrivier

Kuststreek

Klein Karoo

KAAPSTAD

Breede Rivier Vallei

Overberg-district

DE KWALITEIT VAN WIJN

In het kritische wereldje van wijnkenners vergeet men al snel wat voor een simpel drankje wijn kan zijn; eenvoudig gesteld is het weinig meer dan bedorven druivensap waarvan de suikers zijn omgezet in alcohol. Maar sinds de komst van de fles en de kurk in de 17e eeuw doen wijnmakers hun best om steeds verfijndere, complexere bewaarwijnen te maken. Zowel wijnbouw als wijnmakerij is een vak apart dat veel aandacht voor details en een scherp waarnemingsvermogen vereist. Dankzij de moderne wijnkunde (oenologie) is het technische niveau zo hoog geworden dat je zelden écht slechte wijnen tegenkomt in winkels of restaurants.

Om te begrijpen hoe een goede wijn ontstaat, moeten we terug naar de basis, naar de kern van de klassieke wijnbouw: *terroir*. Dit Franse woord is lastig te vertalen en gaat gehuld in quasi-religieuze mystiek. Het is een verzamelnaam voor het complexe samenspel van natuurlijke factoren –klimaat en bodem– die het karakter van een wijngaard bepalen en daarmee de smaak van de wijn.

KLIMAAT

Rode druiven zijn afhankelijk van gunstige weersomstandigheden. De wortels van de wijnstok groeien beter in een warm klimaat. Sommige van de subtielste rode wijnen worden echter in koele streken gemaakt –zoals Chinon in de Franse Loire-streek of Irancy in de noordelijke Bourgogne– waar het evenwicht tussen rijp- en zuurheid van de druiven zeer wankel is. In zulke omstandigheden is de temperatuur van de grond en de mate waarin deze de warmte van de zon vasthoudt, cruciaal.

Wetenschappers verdelen wijngaarden graag onder in strakke klimaatzones, maar zo eenvoudig ligt het niet. Er komt meer bij kijken dan het noteren van zonuren, bewolking, wind en neerslag. De aanwezigheid van bergen kan de zaak bemoeilijken, want bij een stijging in hoogte van 110 m daalt de gemiddelde temperatuur met 12,8 °C. De verschillen die door zulke factoren ontstaan, kunnen het beste worden bekeken in termen van macro-, meso- en microklimaat. Het macroklimaat is het klimaat van een groot gebied – een bepaalde regio. Het mesoklimaat is het klimaat van een veel kleiner gebied – een bepaalde wijngaard op een bepaalde hoogte. Het microklimaat is het klimaat van een nog kleiner gebied – een groepje wijnstokken. Er kunnen echter minuscule klimaatverschillen bestaan tussen een druif die vlak bij de grond groeit en één die hoger groeit aan dezelfde plant!

Natuurlijk is er een minimumtemperatuur waaronder een wijnstok niet meer groeit. Deze verschilt per druivensoort – bijvoorbeeld 12 °C voor cabernet sauvignon en 10 °C voor

ZONUREN IN WIJNGAARDEN OVER DE HELE WERELD

*P*rofessor Winkler van Davis, de wijnschool van de Universiteit van Californië, ontwikkelde een systeem waarbij wijngaarden over de hele wereld worden ingedeeld in 5 gebieden, al naar gelang het aantal zonuren – 1 is het koudst en 5 het warmst. Het systeem werkt goed bij toepassing op Californië. Voor de rest van de wereld is het minder nauwkeurig, omdat geen rekening is gehouden met variaties in bodemsoort, daglichturen en oogstdata. Hoe dan ook, de volgende vergelijkingen geven iets om over na te denken:

REGIO 1 Russian River en de Santa Cruz Mountains, Californië, VS; Willamette Valley, Oregon, VS; Bourgogne en Bordeaux, Frankrijk; Neuselersee, Oostenrijk; Canterbury, Nieuw-Zeeland.

REGIO 2 Maipo, Chili; Rutherford, Californië, VS; de staat Washington, VS.

REGIO 3 Béziers, Frankrijk; Calistoga, Californië, VS.

REGIO 4 Paarl & Stellenbosch, Zuid-Afrika; Marches, Italië.

REGIO 5 Central Valley, Californië, VS; Sicilië, Italië; Tunesië; Kreta, Griekenland; Swan River, West-Australië.

pinot noir. Het totale aantal uren in het groeiseizoen dat de temperatuur boven dit minimum uitkomt, wordt gemeten en dit geeft een goed beeld van de mogelijkheden voor wijnbouw in een bepaalde streek, echter in combinatie met de bodem – dit geeft in Europa heel andere resultaten dan in de Nieuwe Wereld (zie overzicht op blz. 30).

BODEM

Sinds lange tijd is er een levendige discussie gaande tussen wijnmakers uit Europa en de Nieuwe Wereld over het belang van de bodem. Jacques, een *vigneron* uit Bourgogne, zal zeggen dat mineralen onmisbaar zijn voor de structuur en de houdbaarheid van zijn Morey-St.-Denis, terwijl Jim, een wijnbouwer uit West-Australië, de droge hitte en de nabijheid van de oceaan zal aanwijzen als verklaring voor de volle kruidigheid en grassige frisheid van zijn Margaret River Pinot Noir. Jacques en Jim hebben allebei gelijk *op hun eigen halfrond*. Volgens Olivier Humbrecht, een bereisde Franse

Witte, rotsachtige grond in Languedoc-Minervois, Frankrijk.

Kiezelgrond in Graves, Frankrijk.

cultuurwetenschapper, weerspiegelt dit verschil in benadering de verschillende natuurlijke omstandigheden in wijngaarden over de hele wereld. In Frankrijk valt de helft van
alle regen tijdens het groeiseizoen. In Australië daarentegen
is de neerslag in de belangrijke lente- en zomermaanden vaak
onvoldoende om de wijnstok te voeden, wat druiven geeft
met weinig zuren.

Inmiddels reizen Australische en Californische wijnbouwers regelmatig naar Frankrijk om te helpen bij het oogsten
en wijn maken en zij weten net zo goed als de Fransen dat de
bodem er wel degelijk toedoet. 'Wijn begint in de wijngaard'
is een marketing-cliché van onze tijd geworden en een mooie
manier om te zeggen dat het belangrijk is om de juiste druivensoort op de juiste grond te telen.

Humbrecht herinnert ons eraan dat de bodem een meng-
sel is van mineralen en organisch materiaal. De deeltjes
waaruit de bodem bestaat, zijn onder te verdelen naar groot-
te: eerst stenen en grind, dan fijn zand, leem en ten slotte
klei. Anthony Hanson schrijft in zijn werk *Burgundy* (2e editie 1995), waarin hij zich baseert op onderzoek van R.

Gadille, dat "het percentage grind en stenen de drainage beïnvloedt en het percentage kleideeltjes de vruchtbaarheid (...) de kleideeltjes zijn van groot belang, want zij houden vocht vast en bepalen de samenstelling van het water waar de wijnstok zijn voedsel uithaalt".

Hoe dan ook, de druivensoort moet beslist bij de bodem passen. Cabernet sauvignon rijpt niet goed in Touraine, maar doet het uitstekend in Bordeaux, waar veel grind en stenen zijn. Pinot noir houdt van vruchtbaardere grondsoorten als kalksteen, dat meer water vasthoudt en koeler blijft, zoals in de Côte d'Or of op het Zuidereiland van Nieuw-Zeeland. De Barolo-zone van Piemonte is een goed voorbeeld van het effect van de bodem op de kwaliteit van de wijn. De grond bestaat hier uit vruchtbare klei; het klimaat is warm en zonnig en de nebbiolo is een vroegrijpende druif. De wijn die ervan gemaakt wordt, is ondanks zijn zuidelijke herkomst gebalanceerd met een goede zuurheid – een fraai voorbeeld van een geschikte combinatie van druivensoort, bodem en klimaat met een prima wijn als resultaat.

De rode grond van Coonawarra in Rouge Homme,
Zuid-Australië.

DE WIJNSTOK

Er zijn meer dan 2000 variëteiten van de wijnstok, *Vitis vinifera* – zo'n 100 ervan zijn echt geschikt voor wijnbouw. Goede rode wijnen worden om praktische redenen van een handjevol edele druivensoorten gemaakt. De beste –cabernet sauvignon, syrah (shiraz) en pinot noir– doen het wereldwijd goed. Cabernet franc, merlot, grenache, mourvèdre, nebbiolo, sangiovese en tempranillo hebben een goede kwaliteit, maar gedijen het best in het land of de streek van herkomst (zie Druivensoorten, blz. 40).

Handmatige oogst in Châteauneuf-du-Pape in de Rhône-streek, Frankrijk.

De manier van telen heeft een beslissende invloed op de kwaliteit van de wijn. De productiviteit van de wijnstok kan enorm worden verbeterd door het gebruik van kunstmest, door het type onderstammen en klonen en door de snoeiwijze. De Franse wijnautoriteiten zijn soepel wat betreft de maximale opbrengsten voor goede wijn; het toegestane rendement voor beroemde bordeaux-wijnen is soms wel twee keer zo hoog als dat voor een betere cabernet sauvignon uit Santa Cruz in Californië of Coonawarra in Australië.

De jaarlijkse biologische cyclus van de wijnstok verloopt vrijwel overal ter wereld hetzelfde. In een noordelijk gelegen Bordeaux-dorpje als St.-Estèphe, waar vooral cabernet sauvignon wordt verbouwd, gaat men uit van een 100-daagse cyclus. In een warme streek op het zuidelijk halfrond, zoals Upper Hunter Valley in New South Wales, Australië, kan de cyclus 85 of 86 dagen duren, maar nooit minder. Het grootste verschil is dat de druif in het noorden in een koud jaar niet goed rijp wordt. In warme, zuidelijke streken is het probleem juist het gebrek aan zuren.

Een andere factor die van invloed is op de kwaliteit van rode wijn is de wijze van druiven plukken. Vanwege de hoge loonkosten kiezen steeds meer wijnbouwers wereldwijd voor een mechanische oogstwijze; een machine bespaart geld en werkt sneller. Michel Laroche, een befaamd chablis-producent uit de Languedoc die ook uitstekende rode wijnen maakt, legt helder uit wat de voor- en nadelen zijn: "In principe is er niets mis met een oogstmachine zolang de druiven gezond zijn. Maar als de druiven geselecteerd moeten worden omdat er rotte tussen zitten, is een machine niet geschikt omdat ze de juiste keuzen niet kan maken."

Machinale oogst in Languedoc, Frankrijk

RODE WIJN MAKEN

In de meeste gevallen worden de steeltjes verwijderd en de druiven geperst, waarna de most –vruchtvlees, pitten en schillen– gist in een tank of open vat. Er wordt een lichte dosis zwaveldioxide toegevoegd om bacteriën te doden. Sommige wijnmakers uit Bourgogne voegen nog altijd de steeltjes toe, omdat deze volgens hen de wijn structuur geven. Terwijl de schillen en pitten (de 'hoed') in het druivensap in de tank liggen, komt de gisting op gang; dit proces duurt 5-7 dagen. Het contact met de hoed (een proces dat op

DE WIJNBEREIDING

1 Druiven oogsten

2 Steeltjes verwijderen

3 Druiven persen

4 Eerste gisting: 4-7 dagen/2-3 weken

5 De lekwijn (*vin de goutte*) afhevelen

6 De *marc* (schillen en pitten) persen om *vin de presse*, tanninerijke perswijn, te maken

7 Lekwijn en perswijn zorgvuldig mengen

8 Melkzuurgisting (omzetting van appelzuur in melkzuur) om de wijn zachter te maken

9 Wijn klaren (laten bezinken, afhevelen en klaren)

10 Wijn laten rijpen (in vat/*barrique* 6 maanden-2 jaar)

11 Wijn bottelen (na 2-6 maanden voor jonge wijnen; na 2 jaar voor bewaarwijnen)

Op het Domaine de la Romanée-Conti worden de
druiven voor het persen gesorteerd.

marineren in de keuken lijkt) geeft de wijn zijn uiteindelijke
kleur en houdbaarheid.

Bij het bereiden van rode wijn is veel variatie mogelijk. In
wijngaarden als Hermitage in het noordelijk Rhône-gebied
kan de gisting wel 3 weken duren, waardoor de uiteindelijke wijn een zeer tanninerijke structuur krijgt. Op het wijngoed Hill of Grace van Henschke in Barossa laat men
dezelfde syrah-druif slechts 7-8 dagen gisten, want hier
streeft men naar een wijn met zachte (in tegenstelling tot

Druiven persen bij Miguel Torres in Chili.

Gistende druiven in een open vat in Hunter Valley,
Australië.

wrange) tannine. In dit geval dragen ook de 120 jaar oude
wijnstokken bij aan de zijdezachte smaak.

In Bourgogne, waar de natuurlijke kleur van pinot noir
zacht vermiljoenrood is in plaats van robuust paarsrood,
wordt de hoed op de gistende most 2 of 3 keer per dag
omlaag gedrukt, zodat er voldoende kleur en tannine aan
onttrokken wordt. Dit wordt soms nog met blote voeten
gedaan, waarbij de wijnbouwers hun leven riskeren in de
gifige gistdampen. Op de welvarendere *domaines* gebruikt
men nu meestal een pompmachine.

Guy Accad, de Bourgondische oenoloog die de rodewijn-
bereiding op een aantal in de versukkeling geraakte *domaines* in de Côte d'Or vanaf 1975 nieuw leven heeft
ingeblazen, propageert een koude inweekperiode van de
most gedurende 2-3 dagen. Dit levert een rode wijn op met
een diepe kleur, maar met een weinig subtiel bouquet dat
niet aan ieders idee van een mooie rode bourgogne voldoet.

Goede rode bewaarwijnen worden meestal 1,5-2 jaar
gerijpt in nieuwe eiken vaten, die bedoeld zijn om een zeer
trage oxidatie op gang te brengen, die de wijn samen met de
kruiden en tannine uit het eikenhout een weelderig, complex
karakter geeft. Het percentage nieuw eikenhout behoort te

worden aangepast aan de druivensoort en de relatieve stevig-
of zachtheid van de wijn en het wijnjaar. Het kruidige Franse eikenhout uit de bossen van Troncais, Allier en de Voge-
zen is wereldwijd in trek; het maken van vaten is sinds 1985
weer erg lucratief. Nieuw eikenhout in de wijnbereiding is
als peper en zout in de keuken: een beetje maakt een gerecht
lekkerder, te veel kan desastreus zijn.

Al deze methoden leveren tanninerijke wijnen op die niet
meteen gedronken kunnen worden. Een snellere manier om
wijn te maken is de '*macération carbonique*'; deze methode
wordt gebruikt voor rode wijnen, zoals beaujolais en Côtes
du Rhône. Hierbij laat men de *hele, ongekneusde druiven*
gisten. Door het gewicht van de bovenste druiven in de tank
barsten de onderste open, waardoor ze op natuurlijke wijze
gaan gisten. De kooldioxide die ze afgeven, beschermt de
bovenste druiven tegen contact met de lucht. De wijn krijgt
veel kleur en fruit, maar heel weinig tannine.

Rode wijnen die bedoeld zijn om jong gedronken te worden 2-6 maanden na de oogst gebotteld; vatgerijpte wijnen
met meer structuur worden na 1,5-2 jaar gebotteld. Vaak
kan ik het potentieel van een rode wijn pas bepalen als hij
minstens een jaar in de fles heeft gerijpt, al hebben andere
critici daar vast andere ideeën over. *Vive la différence!*

De wijnen van Domaine de la Romanée-Conti rijpen
in houten vaten.

DRUIVENSOORTEN

De bodem is van grote invloed op de structuur en houdbaarheid van een goede rode wijn, de druivensoort is bepalend voor het type en de fruitsmaken. U denkt misschien dat
wijn naar druiven hoort te smaken en te ruiken, maar gek
genoeg zijn alleen geurige, witte soorten als muscat écht
druifachtig; de smaak van veel druivensoorten doet eerder
denken aan andere vruchten en zelfs aan groente, kruiden en
specerijen.

CABERNET SAUVIGNON

Cabernet sauvignon wordt wereldwijd het meest geteeld.
Deze kleine druiven met hun dikke schil rijpen laat en leveren donkere wijnen op die vaak zeer tanninerijk zijn en heel
geschikt om te bewaren. De Médoc en Graves in Bordeaux
zijn de streken waar cabernet sauvignon van oudsher wordt
geteeld. Met name oude landgoederen als Latour en Mouton-Rothschild verwerken een hoog percentage van dit ras in

Cabernet sauvignon-druiven in Mendoza, Argentinië.

hun wijnmelanges; hun wijnen uit goede jaren kunnen gemakkelijk 50 jaar mee. Cabernet sauvignon is echter zo nadrukkelijk van smaak dat zij het beter doet in een klassieke melange met ongeveer gelijke delen zachtere merlot of in een onconventionele combinatie met shiraz.

De vrijwel pure Californische cabernet sauvignon-wijnen uit de jaren '70 zijn inmiddels 'getemd' met een verantwoorde dosis merlot. De Chilenen produceren wijnen met een heel zuivere smaak van krentachtig cabernet-fruit; Australië levert een heel scala aan verschillende cabernet-wijnen met weinig tannine, waardoor ze heel toegankelijk zijn.

PINOT NOIR

Pinot noir is teer maar intens van smaak, heerlijk fruitig maar verrassend complex. De druif kan een heel opwindende rode wijn opleveren, maar is een lastige soort om te verbouwen en te bewerken. De druiven zijn vroeg rijp, maar teer met een dunne schil en ze rotten snel. Ze gedijen het best in een gematigd klimaat, warm genoeg voor het rijpen van de druiven en het temperen van de natuurlijke zuren, maar niet zo warm dat ze uren in de brandende zon staan, waardoor ze te veel alcohol krijgen en hun heerlijke aardbeien-kersenaroma verliezen. Deze problemen verklaren deels waarom de wijnen in het vaak verraderlijke klimaat van de Bourgogne in een slecht jaar dun van smaak zijn, maar in een goed jaar subliem, en waarom ze, als ze op een veel te warme plek buiten de noordelijke Bourgogne worden geplant, vaak niet gebalanceerd zijn.

Toch wordt het kwaliteitsverschil tussen klassieke rode bourgognes en andere pinot noir-wijnen soms sterk overdreven. In de koele delen van Carneros en Santa Barbara in Californië, in Willamette Valley in Oregon, Walker Bay in Zuid-Afrika en het Australische Yarra worden eveneens rijpe, elegante pinot noirs gemaakt. De pinots uit het koele Martinborough en Canterbury in Nieuw-Zeeland zouden wel eens de sterren van morgen kunnen zijn. Goede pinot noir moet het hebben van lage opbrengsten en de fantasie en flair van de wijnmaker.

SYRAH (SHIRAZ)

Syrah (shiraz) is krachtiger en houdbaarder dan cabernet sauvignon en net zo zacht en aards als pinot noir als de druiven goed rijp zijn. Deze generalisatie geldt zeker voor het noordelijke Rhône-gebied, het thuisland van syrah, waar rode topwijnen als Hermitage, Côte Rôtie en Cornas een lang en nobel leven leiden. In het zuidelijke Rhône-gebied, met name in Châteauneuf-du-Pape, zorgt syrah in de klassieke combinatie met de overheersende grenache voor structuur en verfijning.

Syrah is een laatrijpende, donkere druif die het beste gedijt op een warme bodem, maar bij te intensieve teelt verliest zij de smaak van moerbessen en zwarte peper, haar grote kracht. Helaas is dat het geval in Australië, waar de druif in veel te grote hoeveelheden wordt gekweekt door wijnbouwers die haar als het 'werkpaard' onder de druiven beschouwen. Toch weten topproducenten als Grange Hermitage en Henschke in Barossa of Château Tahbilk in de

Syrah (shiraz)-druiven in Languedoc-St.-Chinian, Frankrijk.

Goulburn-vallei in Victoria van shiraz een van de topwijnen van Australië te maken – lage opbrengsten en oude wijnstokken bepalen de kwaliteit. In het Zwitserse Valais is syrah intens en Rhône-achtig; in Paarl en Stellenbosch in de Kaapprovincie sappig en kruidig.

CABERNET FRANC

Cabernet franc is een Franse druivensoort die van oudsher in het noorden van Bordeaux wordt gekweekt, vooral in St.-Émilion en Pomerol. Ze is lichter en sneller rijp dan cabernet sauvignon, maar bezit een geurige fruitigheid die aan frambozen doet denken. Een vleugje cabernet franc geeft elke klassieke Bordeaux-melange meer charme. Hoe voortreffelijk ze kan zijn als ze 57% van de melange uitmaakt, blijkt uit de schitterende wijn van Château Cheval Blanc, het belangrijkste wijngoed van St.-Émilion. De pure cabernet francs uit de wijngaarden van Chinon en Bourgueil in de Loire behoren tot de prettigste Franse wijnen, heerlijk om jong en licht gekoeld te drinken, of complex als ze op 10-jarige leeftijd worden gedecanteerd.

MERLOT

Merlot is veruit de populairste blauwe druivensoort van Bordeaux en groeit in meer wijngaarden dan beide cabernets samen. Niet verwonderlijk, want het is een vroegrijpende, vlezige druif die grote hoeveelheden weelderige, fluwelige wijn oplevert. Ze gedijt in koelere streken en komt het best tot haar recht in de compacte, rijke, schitterende wijnen van Pomerol, vooral in Château Petrus.

Het enige nadeel van deze druif is dat ze niet van veel regen houdt en gevoelig is voor rotting. In de warme wijngaarden van Languedoc-Roussillon is merlot een uitstekende 'verbeteringsdruif'; sinds haar introductie hier halverwege de jaren '80 heeft ze een buitengewoon gunstig effect op de kwaliteit gehad. In Californië is merlot dankzij de afwezigheid van scherpe tannine een cultwijn voor de beau monde geworden.

Merlot-druiven op Château Gazin in Pomerol,
Frankrijk.

GRENACHE

Grenache is de op één na meest gekweekte wijndruif ter
wereld. Deze soort wordt in heel Spanje en Zuid-Frankrijk
geteeld en geeft de verfijndere tempranillo in een rode rioja
meer kruiden en gewicht. Ook is ze de krachtige motor achter de grote Châteauneuf-du-Papes en Gigondas. Ze trekt
zich weinig aan van droge hitte en levert rode wijnen op met
een aroma van sappige, zwarte pruimen en Provençaalse
kruiden met wel 14% natuurlijke alcohol. Bij te intensieve
teelt kan deze druif zwaar en grof worden, maar als de
opbrengst laag wordt gehouden, kan het resultaat spectaculair zijn. De blauwe grenache wordt steeds vaker gebruikt
door rodewijnmakers in Australië, zoals Tim Gramp in
McClaren Vale, en door Catalaanse producenten in Priorato
achter Penedés. Vlak boven de Catalaanse kust, in het Franse Banyuls, worden uitstekende dessertwijnen van grenache
gemaakt.

Grenache-druiven op zandige grond, Languedoc-
Corbières, Frankijk.

MOURVÈDRE

Tot de komst van de druifluis was mourvèdre de belangrijk-
se wijnstok in de Provence en hoewel er nu meer grenache en
cinsault wordt gekweekt, is de kleine mourvèdre met haar
dikke schil nog steeds bepalend voor de structuur en het
karakter van Bandol, de beste Provence-wijn uit de hooggelegen wijngaarden langs de kust bij Toulon. Mourvèdre heeft
een intense frambozensmaak en een hoog tanninegehalte.
Deze druif wordt met succes gebruikt in melanges voor Châteauneuf-du-Pape, maar is ook in trek in Californië waar ze
mataro wordt genoemd. Ridge Vineyards in de bergen van
Santa Cruz maakt een uitstekende wijn vol zwartebessen-
fruit. Mourvèdre heet in Spanje monastrell; daar wordt ze
als 'werkpaard' gebruikt en levert ze een koppige, nogal grillige, weinig verfijnde wijn op.

TEMPRANILLO

Tempranillo is een relatief vroegrijpende druif met een dikke
schil die donkere, evenwichtige wijnen oplevert die niet te
veel alcohol bevatten. Tempranillo is ideaal voor de hooggelegen wijngaarden van Rioja Alta en Alavesa, waar ze 70%

Tempranillo-druiven in Rioja Alavesa, Spanje.

van de beplanting uitmaakt en het beste fruit van de streek
levert. In Rioja Baja en Navarra gaat ze goed samen met garnacha en in de steeds indrukwekkendere rode wijnen van
Ribeiro del Duero in Castilië is ze de belangrijkste druif.
Tempranillo wordt in Portugal tinto rorez genoemd en is een
van de grootste portdruiven in de Douro.

NEBBIOLO

Nebbiolo is zonder twijfel een van de beste soorten. Deze
druif levert uitmuntende, houdbare rode wijnen op, maar is
zeer gevoelig voor klimaat en bodem, en kwam tot voor kort
nauwelijks voor buiten Piemonte en Noordoost-Italië. De
naam komt van het Italiaanse woord *nebbia* – de nevel die
in de herfst in de heuvels van Barolo en Barbaresco hangt en
het groeiseizoen vertraagt. Nebbiolo wordt zelden vóór half

oktober geoogst en levert
geweldig taaie wijnen vol
zuren en tannine op, die soms
jaren flesrijping nodig hebben
om zachter te worden. Het
wachten is de moeite waard,
want een grote Barolo of Barbaresco bezit een fascinerende mengeling van smaken met
de geur van rozen en een teer-
achtige, krachtige wijnkleur.
Er is een groeiende belang-

Nebbiolo-druiven in Barolo, Italië.

stelling voor de toegankelijkere nebbiolo-wijnen uit Piemonte, die korter op oud hout rijpen zonder aan kwaliteit in te
boeten.

SANGIOVESE

Sangiovese is de alomtegenwoordige blauwe druif van Mid-
den-Italië. Net als pinot noir muteert ze snel en er zijn vele
verschillende klonen en variëteiten, grofweg onderverdeeld
in sangiovese grosso en sangiovese piccolo. De beste wijnen
in Toscane worden gemaakt van de grosso, die in pure, onge-
mengde vorm wordt gebruikt in de grote, traag rijpende rode
Brunello di Montalcino en de toegankelijkere, maar onder-
schatte Morellino di Scansano. Sangiovese is de dominante
druif in Chianti, waar ze wordt gecombineerd met canaiolo,
een jongere, plooibaardere partner. Sangiovese is een laatrijpende druif die gedijt op de kalkbodem van het Chianti
Classico-district tussen Florence en Siena; ze bezit veel zuren
en tannine en een elegante, robijnrode kleur. Ze moet vaak
jaren op de fles rijpen voor ze haar karakteristieke aroma
van lissen en haar kersen- en pruimenfruit prijsgeeft. De
druif wordt met succes gekweekt door Argentijnen van Italiaanse afkomst en de aantrekkingskracht van alles wat Italiaans is, heeft in Napa Valley en de Californische kuststreken
een paar veelbelovende sangiovese-cabernet-wijnen opgeleverd.

DE KLEUR VAN RODE WIJN

*R*edacteurs van wijnbladen hechten vaak weinig belang aan kleur bij het beoordelen van wijn. Dat is een grote misvatting; de eerste plicht van een wijnrecensent is om het *genoegen van wijn* over te brengen en de aanblik van een goede rode wijn in het glas –de donkere kersenkleur van een jonge Zinfandel of het vermiljoenrood van een iets rijpere Beaune– is iets prachtigs. In een klinische proefruimte kan men aan het uiterlijk van een wijn zien of hij gezond is.

Men moet op drie dingen letten: de helderheid van de wijn in het midden en langs de wand van het glas, de kleur van de wijn en de viscositeit. De meeste moderne rode wijnen zien er helder en fris uit, dus een troebele wijn (in tegenstelling tot wijn met een natuurlijk depot) is niet goed. De kleur van rode wijn verandert tijdens het rijpen. Jonge wijn is donkerrood, terwijl oude wijn langs de rand lichter is met een bruinige tint die aan kastanjeblad doet denken. De 'viscositeit' van de wijn is de mate van stroperigheid van de vloeistof. Hoe het daarmee is gesteld, ziet u het beste aan de 'tranen' van vettig ogende vloeistof die aan de wand van het glas kleven. Deze tranen zijn een indicatie van het percentage alcohol, glycerol en kleurextract in de wijn. Bij een rode wijn van een robuuste druif uit warme streken, zoals cabernet sauvignon, zijn tranen een goed teken, maar bij een subtiele rode bourgogne duiden ze op een zware hand van wijn maken, waarbij wel erg gemakkelijk naar de suiker is gegrepen.

Deze foto's (rechts) geven een beeld van drie typen: van licht en teer tot sterk en krachtig – het zijn representatieve voorbeelden van de belangrijkste rode druiven in diverse stadia van rijpheid.

Columbia, syrah, 1994

Domaine Drouhin, pinot noir, 1994

Château d'Angludet, 1994

WIJNEN BEOORDELEN

PROEVEN... EEN PAAR VUISTREGELS

Voor iedereen met een gezond gevoel voor humor is het ritueel van het wijnproeven een raar en komisch gezicht. Al dat getuur, gesnuffel, gegorgel en gespuug zal de toeschouwer in het beste geval in de lach doen schieten; in het ergste geval is hij of zij diep onder de indruk van de hele show. Laat u zich niet afschrikken door vooroordelen over 'wijnproeven', want het verschil tussen drinken voor uw plezier en proeven is niets meer of minder dan beter opletten.

Begin met kijken, want het uiterlijk van een wijn zegt veel over de gezondheid, het karakter en de rijpheid. Dus ontkurk de wijn voorzichtig zonder met de fles te schudden en giet wat rode wijn in een doorzichtig, tulpvormig glas – een laagje van zo'n 3 cm boven de steel. Pak het glas nu bij de steel of voet, houd het in een hoek van 45 graden tegen een witte achtergrond –een schoon tafelkleed of vel papier is ideaal– en bestudeer het algehele uiterlijk en de kleur van de wijn (zie Kleur van rode wijn, blz. 48).

SMAAK EN GEUR

De neus is ons gevoeligste orgaan; onze reukzin is zelfs zo nauw verbonden met onze smaak dat de tong vaak alleen maar bevestigt wat de neus heeft ervaren. Houd het glas stevig bij de steel en laat de wijn even flink 'walsen', zodat de geurstoffen vrijkomen. Steek uw neus in het glas en snuif in plaats van een keer lang een paar keer kort. Ga na of de wijn u bevalt en of u frisse, fruitige geuren of harde, onnatuurlijke luchtjes bespeurt.

Bedenk dat geur net als kleur een aanwijzing is voor de druivensoort en de leeftijd van de wijn. Jonge wijnen hebben een fruitig aroma. De term 'aroma' wordt gewoonlijk gebruikt voor datgene wat onze neus in jonge wijnen ontdekt; de term 'bouquet' wordt meestal voor oude wijnen gebruikt. Het bouquet van gerijpte rode wijnen kan een scala aan secundaire geuren bevatten, van kruidige aroma's als

RODE WIJN PROEVEN

Houd het glas in een hoek van 45 graden en bekijk
de kleur van de wijn.

Laat de wijn walsen, steek uw neus in het glas en
snuif een paar keer kort.

Neem een flinke slok en laat de wijn door alle delen
van de mond gaan.

cederhout, wierook, tabak en teer tot dierlijke sensaties als leer en vlees, met name wild.

En dan nu de ultieme test: het effect van de wijn op de tong. Neem een grote slok, zuig er wat lucht bij naar binnen en laat de wijn rondgaan in uw mond. Zo kan de tong de drie belangrijkste smaaktypen goed ervaren: zoet vooraan, zuur aan de zijkanten en bitter achterin. Bij het proeven van rode wijn komt meer kijken dan alleen het bepalen van de zoet- en zuurheid, want rode wijn is gemaakt met de schillen, pitten en soms de stelen. Daardoor voelt hij anders aan in de mond en is de smaak heel anders. Jonge rode wijnen, met name die van cabernet-soorten, syrah of nebbiolo, bevatten vaak veel tannine –dat stroeve, droge gevoel dat hen in het begin moeilijk drinkbaar maakt–, maar worden tijdens de flesrijping geleidelijk zachter. Bij rode bourgognes en andere grote pinot noir-wijnen ligt dat anders; deze krijgen al na een paar jaar een sappige, zijdezachte textuur en een lange beklijvende nasmaak. De 'lengte' van een rode wijn, of de tijd dat de smaak blijft hangen, is een trefzekere indicatie voor toekomstige grootsheid.

Als u wijn drinkt, behoort u het glas
voor een derde te vullen.

RODE WIJN BEWAREN

Een wijnkelder met bewaarwijnen aanleggen vereist enige vindingrijkheid, want velen van ons wonen in centraal verwarmde huizen of flats zonder kelder. Als u een flink aantal dozen goede wijn hebt gekocht die u pas jaren later wilt drinken, kan een goede, onafhankelijke wijnkoper ze voor weinig geld voor u bewaren in een pakhuis met airconditioning. Voor wie hoogstens 20-30 flessen wil bewaren, zijn de vuistregels:

• bewaar de flessen horizontaal (liggend) in een zo stil en donker mogelijke ruimte

• houd de wijn uit de buurt van warmtebronnen

• zorg ervoor dat de temperatuur van de bewaarruimte niet te veel wisselt (bewaar wijn niet in een keuken, garage, tuinhuisje)

Voor de ambitieuze verzamelaar die meer ruimte nodig heeft, is een geprefabriceerde 'kelder' die in huis geïnstalleerd kan worden een goede optie. Er zijn twee typen: de elektrische kast met temperatuurregeling –in diverse vormen en formaten, kan zo in het stopcontact worden gestoken– en de wenteltrap (beste merk is Eurocave) die uit een grote stalen cilinder met een wenteltrap bestaat, waarbij de opslagruimten voor de wijn zich in de ruimten binnen de cilinder en tussen de treden bevinden. Er moet een groot gat worden gegraven om het ding te huisvesten.

RODE WIJN SCHENKEN

Rode wijn wordt vaak te warm gedronken. Schenk hem het liefst iets koeler dan de gemiddelde kamertemperatuur, dus bij zo'n 15-16 °C. Zet een fles wijn nooit op een hete kachel of radiator, want dan krijgt u een grove alcoholsoep. Lichte, jonge en fruitige rode wijnen (beaujolais, chinon of bardolino) smaken licht gekoeld heerlijk bij een zomerse lunch.

Jonge rode wijnen met veel tannine en zuren worden lekkerder als u ze een half uur voor het serveren opentrekt, zeker als u ze overschenkt in een karaf – dat heeft een verzachtend effect op de wijn. Eerbiedwaardige, oude wijnen die meteen gedronken kunnen worden, mag u hoogstens 5 minuten laten 'ademen'. Vergeet niet dat oude wijn kwetsbaar is en zijn subtiele bouquet snel verliest. Dit brengt ons bij het heikele punt van het decanteren. Een karaf kan prachtig staan op tafel en elke goede wijnhandel behoort een mooi assortiment in huis te hebben. Bij jonge, rode wijn helpt decanteren om de wijn wat zachter te maken, maar verder is het alleen nodig als de wijn veel depot of sediment heeft – met name bij goede oude port komt dat voor.

RODE WIJN EN GEZONDHEID

*R*eeds in 1980 publiceerde het *American Journal of Medicine* een studie over de drie belangrijkste doodsoorzaken –kanker, hart- en vaatziekten en herseninfarcten– in relatie tot alcoholconsumptie. In deze en vele latere studies is met zekerheid vastgesteld dat alcohol beschermend werkt tegen hart- en vaatziekten, omdat het percentage 'goede' cholesterol (zgn. HDL) in het bloed erdoor toeneemt: een hoger HDL-gehalte in het plasma leidt tot een sterke afname van het aantal hartaanvallen. In de jaren '90 ontdekte een voedingsdeskundige uit Lyon, dr. Serge Renaud, dat het gehalte 'verkeerd' cholesterol in het bloed (afkomstig van dierlijk vet) afneemt door de tannine in wijn. In de VS werd op *prime time* een documentaire over de bevindingen van dr. Renaud uitgezonden en sindsdien is de rodewijnconsumptie in dat land enorm gestegen. Zoals de Britse wijnschrijver Stuart Walton zei: "De fabrikanten van antistollingsmiddelen zouden wel eens lelijk op hun neus kunnen kijken als iedereen in de gaten krijgt dat het net zo goed voor het hart is (...) om een halve fles rode wijn per dag te drinken."

Zelf decanteer ik goede rode bourgognes nooit, uit angst om de subtiele geur- en smaaknuances te verliezen. Als u wel besluit te decanteren, zet de fles dan 24 uur rechtop, zodat het sediment naar de bodem zakt. Ontkurk de wijn en schenk hem langzaam en gestaag in de karaf. Zodra u de eerste spoortjes sediment in de hals ziet, stopt u met schenken. Gooi het troebele restant in de fles gewoon weg, dan komt u ook niet in de verleiding om het door een saus te roeren. Gebruik nooit papieren koffiefilters of keukenpapier, want daardoor kan een fles van *f* 40,- als een fles van *f* 5,- gaan smaken.

GLAZEN

Wijnglazen moeten eenvoudig, strak, onversierd en tulpvormig zijn. De Oostenrijkse glasontwerper Georg Riedel heeft een speciale studie van de optimale vorm voor wijn gemaakt. Zijn fraaie 'Sommelier'-collectie, met name de gulle bordeaux- en bourgogne-glazen, zijn ideaal.

Tulpvormige glazen zijn ideaal voor wijn. Van links naar rechts: syrah, bourgogne, bordeaux en barillo.

DEEL TWEE

producenten van
RODE WIJN

KLASSIEKE WIJNEN

CASTELL'IN VILLA

Azienda Agricola Castell'in Villa
53033 Castelnuovo Berargenga (Siena) Italië
Tel: (+39) 577 359074 Fax: (+39) 577 359222
Bezoekers: alleen op afspraak

*D*e wijnen van Castell'in Villa in de heuvels ten oosten van Siena lijken sprekend op hun maakster. Coralia Pignatelli is een hardwerkende, charmante vrouw met een enorme wilskracht. Ze is geboren in Griekenland en bracht het eerste deel van haar leven vooral in Zwitserland door, waar ze Principe Riccardo Pignatelli della Leonessa, Italiaans diplomaat en lid van de oude Romeinse adel, ontmoette en huwde. In 1968 kocht het echtpaar Castell'in Villa in het prachtige om het zware ambassadeursleven af en toe te kunnen ontvluchten.

EXTRA INFORMATIE

EIGENAAR: Principessa Coralia Ghertsos Pignatelli della Leonessa

WIJNMAKER: Principessa Pignatelli

WIJNGAARD: 55 ha

PRODUCTIE: 30.000 dozen per jaar

DRUIVENSOORTEN: sangiovese, cabernet sauvignon (voor Santa Croce)

GEMIDDELDE LEEFTIJD WIJNSTOKKEN: 30 jaar

PERCENTAGE NIEUW HOUT: 50% of meer

AANBEVOLEN RECENTE WIJNJAREN: 1995, 1993, 1990, 1988

AANBEVOLEN COMBINATIES: gegrild lamsvlees, wild

EIGEN RESTAURANT: ja

De afgelopen 30 jaar is prinses Pignatelli een van de 'grote' wijnproducenten van Toscane geworden. Haar chianti's worden geroemd om hun grote finesse en fraai gestructureerde smaaknuances – een voorbeeldige wijn van de sangiovese-druif. Pignatelli is een meesteres in het maken van stijlvolle wijnen in moeilijke jaren als 1972, 1987 en 1989. In goede jaren (met name 1990 en 1995) behoren haar *riserva's* bijna altijd tot de 4 of 5 beste wijnen van het jaar. De prinses maakt ook de indrukwekkende Santa Croce, een rode *vino da tavola*, hoofdzakelijk bestaand uit sangiovese met een vleugje cabernet sauvignon uit haar ideaal gelegen Balsastrada-wijngaard. Dit is een van 's werelds beste rode wijnen, het summum van kracht en elegantie. En alsof dat nog niet genoeg is, maakt ze ook nog eens voortreffelijke Toscaanse olijfolie. Al deze heerlijkheden kunnen geproefd worden in het restaurant op het landgoed.

PROEFRAPPORT

SANTA CROCE 1988

Buitengewoon jeugdige kleur voor een 10-jarige wijn, weelderig, sprankelend robijnrood; het krachtige tanninegehalte en diepe smaak doen niets af aan de opmerkelijke finesse. Rijpt zeker nog door tot 2115. Veegt de vloer aan met diverse duurdere grand cru St.-Émilions. Ne plus ultra. Geproefd in november 1997.

Categorie ★★★★★

Château Cheval Blanc

33330 St.-Émilion, Frankrijk
Tel: (+33) 5 57 55 55 55 Fax: (+33) 5 57 55 55 50
Bezoekers: alleen op afspraak

*C*hâteau Cheval Blanc wordt al jaren beschouwd als een van de beste *cru*'s van Bordeaux. In goede jaren is deze rode Bordeaux onovertroffen met zijn weelderige textuur en krachtige, maar subtiele smaak. Hij dankt zijn unieke persoonlijkheid aan de superkwaliteit van de bodem in de wijngaard (die grenst aan de *appellation* Pomerol) en aan een ongebruikelijke melange van druivenrassen.

Extra informatie

EIGENAAR: Société Civile du Cheval Blanc (familie Fourcas-Laussac)

WIJNMAKER: Kees van Leeuwen

WIJNGAARD: 36 ha

TWEEDE WIJN: Petit Cheval

PRODUCTIE: 10.000 dozen (*grand vin*); 2000 dozen (Petit Cheval) per jaar

DRUIVENSOORTEN: 57% cabernet franc; 41% merlot; 1% cabernet sauvignon; 1% malbec

GEMIDDELDE LEEFTIJD WIJNSTOKKEN: 35 jaar

PERCENTAGE NIEUW HOUT: 100% (*grand vin*); 50% (Petit Cheval) aanbevolen recente wijnjaren: 1995, 1994, 1990, 1988

AANBEVOLEN COMBINATIES: reemedaillon, gebraden fazant, *filet de boeuf en croûte*

PLAASTELIJKE RESTAURANTS: Francis Gaulle, Plaisance, Le Tertre, alledrie in St.-Émilion

De bodem is complex van samenstelling. Sommige delen ervan bestaan uit zandige en andere uit kiezelgrond op een onderlaag van klei, een derde perceel is bedekt met een dikke laag grind. De gezamenlijke kenmerken van deze verschillende percelen lenen zich bij uitstek voor de teelt van wijndruiven van topkwaliteit. Zo reguleert de klei de watertoevoer naar de plantenwortels, en het grind en het zand zorgen voor een warm microklimaat dat de rijping versnelt. Bovendien hebben de typische herfstregens van het Atlantische klimaat hier minder invloed dan in de rest van Bordeaux.

> ## PROEFRAPPORT
> ## CHÂTEAU CHEVAL BLANC 1995
> Donker robijnrood met paarse gloed; typische, weelderige Cheval Blanc-aroma's, zwart fruit (kersen en bessen). Mooi rijp, komt kruidig binnen. Veel concentratie in de smaak, een mooi zacht tanninegehalte. Spectaculair, goed van structuur en charmant.
> Categorie ★★★★★

Om ten volle van deze unieke bodem te profiteren, verbouwt dit landgoed met name cabernet franc (57%) die de Cheval Blanc zijn onnavolgbare smaak en textuur geeft. Het krachtige tanninegehalte van cabernet franc gaat prachtig samen met de zachte sappigheid van merlot (41%). Na het oogsten blijft de wijn gemiddeld 3 weken in het vat om te gisten, waarna hij wordt afgeheveld. De *grand vin* rijpt zo'n 18 maanden op 100% nieuwe eiken vaten. De tweede wijn, Petit Cheval, rijpt 12 maanden op 50% nieuwe vaten. De *grand vin* wordt niet gefilterd.

De rijpende *grand vin*.

Château Cheval Blanc in St.-Émilion, Bordeaux.

Dit verslag van de teelt en vinificatie op Cheval Blanc geeft een indruk van de perfectionistische werkwijze van het team van Pierre Lurton en Kees van Leeuwen. De wijn is nu, eind jaren '90, een echte *premier cru*. In 1995 en 1990 zijn er fantastische wijnen gemaakt, waardige opvolgers van de grote 1985 en 1982, en de legendarische 1947.

CHÂTEAU COS D'ESTOURNEL

33190 St.-Estèphe, Frankrijk
Tel: (+33) 5 56 73 15 30 Fax: (+33) 5 56 59 72 59
Bezoekers: alleen op afspraak

*C*os d'Estournel leent zich uitstekend voor het maken van grote rode wijnen. Het is afgescheiden van Château Lafite door een beekje. De heuvel van Cos rijst hier tot een hoogte van bijna 20 m boven de monding van de Gironde. Het landgoed is genoemd naar deze grindachtige rotshelling – cos betekent 'steenheuvel'. Omdat de bodem zo poreus is en er door de perfecte drainage nooit water op de heuvel blijft staan, zijn de plantenwortels gedwongen om diep in de ondergrond door te dringen op

EXTRA INFORMATIE

EIGENAAR: Société des Domaines Prats

WIJNMAKER: Bruno Prats

WIJNGAARD: 66 ha

TWEEDE WIJN: Les Pagodes de Cos

PRODUCTIE: 30.000 dozen per jaar

DRUIVENSOORTEN: 60% cabernet sauvignon; 38% merlot; 2% cabernet franc

GEMIDDELDE LEEFTIJD WIJNSTOK-KEN: 40 jaar

PERCENTAGE NIEUW HOUT: tussen 40 en 80%

AANBEVOLEN RECENTE WIJNJAREN: 1996, 1990, 1989, 1986, 1985, 1982

AANBEVOLEN COMBINATIES: gebraden patrijs, parelhoen

PLAATSELIJK RESTAURANT: Château Cordeillan-Bages

zoek naar voedsel. Dit vertraagt de sapstroom in de plant, waardoor het sap geconcentreerder wordt en de druif een bijzondere smaak krijgt.

Deze *grand cru*-wijngaard is tussen 1810 en 1850 geplant door Louis-Gaspard d'Estournel. Met zijn verbeeldingskracht en visie had hij snel in de gaten hoe geschikt de omgeving van Cos was voor de druiventeelt. Louis-Gaspard leefde voor zijn wijnen; hij stak de wereldzeeën over en wist zelfs in India een markt te creëren.

Louis-Gaspard merkte dat zijn wijn beter werd tijdens de lange zeereizen, dus liet hij een deel van de wijn terugkomen met het merkteken 'R' erop voor *retourné* vanuit India. Deze wijn schonk hij zijn gasten, die hem de bijnaam 'Maharadja van St.-Estèphe' gaven. Alle faam steeg hem wellicht naar het hoofd, want in 1830 liet Louis-Gaspard, bij wijze van herinnering aan zijn reizen naar Azië, een fantastisch paleis in oriëntaalse stijl bouwen, waarin hij zijn kelders onderbracht. De pagode van Cos is een opvallend element in het landschap van de Médoc en nog altijd een pelgrimsoord voor bordeaux-liefhebbers.

Sinds 1970 is Bruno Prats verantwoordelijk voor de wijnen. Deze wijnmaker heeft een titel in de agronomie en oenologie. Technisch vernuft speelt bij hem een grote rol; bovenaan staat zijn respect voor het opmerkelijke *terroir* van de wijngaard. De dunne grindlaag op de heuveltop en de zuidhelling is ideaal voor cabernet sauvignon (60% van de wijngaard). Op de kalkgrond van de oostelijke helling is merlot geplant (bijna 40%). Het relatief hoge percentage merlot geeft de wijn een soepel, rond karakter, wat misleidend is, want Cos is in essentie een ferme, krachtige bordeaux met een grote bewaarcapaciteit.

De late oogst is ook van invloed op de wijn; de oogstdatum wordt per perceel bepaald. Het resultaat is een complete wijn met een laag tanninegehalte, die heel lang heerlijk blijft. Cos d'Estournel heeft sinds 1982 een reeks prachtige wijnen geproduceerd, waarvan sommige naar mijn smaak niet onderdoen voor *premier cru's*. Met name de 1990 is een echte klassieker.

PROEFRAPPORT

CHÂTEAU COS D'ESTOURNEL 1990

Fraai donker robijnrood, geen spoor van ouderdom; sensuele neus van rijp, rood fruit en een vleugje gerookt eiken; heerlijke, klassieke structuur, rijke smaak, voelt fluweelzacht aan. De zeer lange afdronk duidt op grote bewaarcapaciteit (goed tot 2020). Een van de beste 1990-ers.

Categorie ★★★★★

Het oosters aandoende logo op sommige van de flessen getuigt van Louis-Gaspard d'Estournels liefde voor India.

CHÂTEAU DE BEAUCASTEL

84350 Courthézon, Frankrijk
Tel: (+33) 4 90 70 41 00 Fax: (+33) 4 90 70 41 19
Bezoekers: op afspraak

*D*it is het beste *château* van Château-neuf-du-Pape; hier worden wijnen gemaakt die subtieler, verfijnder en beter houdbaar zijn dan alle andere in de *appellation*. Het *château*, genoemd naar de huge-nootse landeigenaar Pierre de Beaucastel, produceert al sinds 1830 wijn en wordt nu geleid door de broers François en Jean-Pierre Perrin. De wijngaard ligt in het oos-

EXTRA INFORMATIE

EIGENAARS: François en Jean-Pierre Perrin

WIJNMAKER: François Perrin

WIJNGAARD: 71 ha (Châteauneuf-du-Pape); 35,5 ha (Côtes du Rhône)

PRODUCTIE): 25.000 dozen (rode wijn) per jaar

DRUIVENSOORTEN: 30% grenache; 30% mourvèdre; 10% syrah; 5% cinsault; 25% andere toegestane rassen, met name counoise

GEMIDDELDE LEEFTIJD WIJNSTOK-KEN: 50 jaar

PERCENTAGE NIEUW HOUT: nul (voor rode wijnen)

AANBEVOLEN RECENTE WIJNJAREN: 1995, 1990, 189, 1988, 1983, 1981, 1978

AANBEVOLEN COMBINATIES: *Filet de boeuf aux champignons, salmi de faisin*

PLAATSELIJK RESTAURANT: La Beau-rivière, Mondragon

telijk deel van de *appellation* en bestaat uit 71 ha. Alle 13 druivensoorten die in Châteauneuf-du-Pape mogen voorkomen, worden er geteeld. Opvallend genoeg ligt het percentage grenache op Beaucastel (30%) ruim onder de helft van dat van de meeste andere Châteauneuf-producenten. De Perrins streven namelijk naar een wijn met structuur die niet te veel alcohol bevat.

In de wijngaard werkt men volgens de biodynamische methode van Rudolf Steiner, die inhoudt dat er geen bestrijdingsmiddelenworden gebruikt. Wijnmaker François past een speciale techniek toe: de *vinification à chaud*. De druiven worden eerst 1,5 minuut met stoom verhit tot een temperatuur van 80 °C. Het voordeel hiervan is een goede kleurextractie, terwijl de bacteriën doodgaan, zodat het gebruik van zwavel of schimmelculturen niet nodig is. De wijn blijft maximaal 21 dagen in het

De opgelegde flessen met oude wijnen in
Château de Beaucastel.

De wijn rijpt maximaal 14 maanden in oude eiken vaten.

vat. In die tijd worden de druivenschillen regelmatig naar onderen geduwd, een idee van Gérard Chave van Mauves. François houdt niet van nieuw hout en laat zijn rode wijnen liever rijpen in grote, gebruikte, eikenhouten *foudres*. Dat duurt 6-14 maanden, afhankelijk van het wijnjaar. Daarna rijpen de wijnen minstens nog een jaar op de fles, zodat ze de klant in optimale staat bereiken.

Beaucastel is een van de grote rode wijnen van Frankrijk en zijn complexiteit laat zich moeilijk beschrijven. De primaire aroma's in de jonge wijn doen denken aan haagfruit, maar vertonen reserves. Na 6-7 jaar wordt het bouquet opvallend rijk aan kruiden en wildtonen. De wijnen kunnen voortreffelijk bewaard worden en de 1981 en 1978 blijven goed tot in de eerste jaren van de 21e eeuw.

PROEFRAPPORT

CHÂTEAU DE BEAUCASTEL, CHÂTEAUNEUF-DU-PAPE 1994

Midden- tot donkerpruimenrood; bouquet 10 minuten na opening zeer gesloten, na 6 uur een ontluikende geur van frambozen, maar nog steeds gereserveerd. Structuur, elegantie en Provençaalse kruiden zijn er allemaal, maar de smaken zijn nog niet gevormd. Veelbelovend. Drinken vanaf 2001. Geproefd in november 1997.

Categorie ★★★★

DOMAINE DE CHEVALIER

338 Léognan, Frankrijk
Tel: (+33) 5 56 64 16 16 Fax: (+33) 5 56 64 18 18
Bezoekers: op afspraak, alleen door de week

*D*e omgeving zegt weinig over de groots-heid van een wijn. Domaine de Cheva-lier is een relatief eenvoudig huis middenin het bos en alleen de cilindervormige, nieuwe cuverie vol glimmende, roestvrijstalen tanks geeft een indruk van de grote investeringen die de welgestelde familie Bernard heeft gedaan nadat ze het landgoed in 1983 over-kocht van Claude Ricard.

Chevalier heeft voor het grootste deel van deze eeuw kleine partijen uit-muntende rode en witte wijn geprodu-ceerd, die beide tot de beste van de

EXTRA INFORMATIE

EIGENAAR: Olivier Bernard
WIJNMAKERS: Thomas Streetstone en Remi Edange
WIJNGAARD: 30 ha (rode wijn)
PRODUCTIE: 7000 dozen (rode wijn) per jaar
DRUIVENSOORTEN: 65% cabernet sauvignon; 30% merlot; 5% cabernet franc
GEMIDDELDE LEEFTIJD WIJNSTOK-KEN: 25 jaar
PERCENTAGE NIEUW HOUT: 50%
AANBEVOLEN RECENT WIJNJAAR: 1996
AANBEVOLEN COMBINATIES: gebra-den lamsbout, gegrild vlees, wild
PLAATSELIJK RESTAURANT: Le St.-James, Boullac

appellation Graves (nu Pessac-Léognan) behoren. In de rode wijn probeert men finesse te koppelen aan structuur. De gisting vindt plaats bij hogere temperaturen dan de gebruikelijke 32 °C met als doel het soepele, fluwelige aspect –het *gras*– van de wijn te bevorderen. Een andere bijzonderheid is de toepassing van *bombage*, waarbij de druivenschillen constant met een houten staaf omlaag worden geduwd,

zodat de kleurextractie voorzichtig plaats vindt en de wijn

harmonieuzer wordt. De vatrijping duurt 14-24 maanden. Het percentage nieuw eikenhout varieert van 40-70%, afhankelijk van het wijnjaar. Volgens wijnmakers Stonestreet en Edange "bezitten de rode wijnen van Chevalier een 'ronde' tannine die kenmerkend is voor verfijnde topwijnen; ze zijn eerder delicaat dan krachtig met accenten van klein rood fruit, drop en kruiden".

Olivier Bernard, beheerder van Domaine de Chevalier

De wijngaarden van het Chevalier-landgoed.

In 1986 en 1988 zijn hier bijzonder mooie bewaarwijnen gemaakt. Volgens Olivier Bernard is die uit 1996, dat een goed cabernet-jaar was, de beste rode wijn die hij heeft gemaakt sinds hij hier in 1983 als jongen van 21 kwam werken bij Claude Richard.

PROEFRAPPORT

DOMAINE DE CHEVALIER 1996

Donker paarsrood, elegant, niet te veel extract; fraai bouquet van cabernet, cassis, frambozen: veel diepgang, uitgesproken smaak en afdronk; typische, gereserveerde Chevalier-structuur. Een echte klassieker, drinken vanaf 2006.

Categorie ★★★★★

Thomas Stonestreet (*midden*) is de oenoloog van De Chevalier.

DOMAINE DE
LA ROMANÉE-CONTI

SC du Dom. de la Romanée-Conti,
21700 Vosne Romanée, Frankrijk
Tel: (+33) 3 80 61 04 57
Bezoekers: alleen op afspraak

*V*oor veel mensen is dit zeer beroemde *domaine* (DRC voor kenners) de beste wijnproducent van de Côte d'Or, met bijzonder rijke en complexe wijnen. De grote wijngaarden liggen op de duurste grond van de Bourgogne. Tot de wijngaarden van het *domaine* behoren de wereldberoemde Romanée-Conti en La Tâche, maar ook bijna de helft van Richebourg, ruim de

EXTRA INFORMATIE

EIGENAAR: SC du Domaine de la Romanée-Conti

WIJNMAKERS: Aubert de Villaine en Henry-Frédéric Roche

WIJNGAARD: 27 ha

PRODUCTIE: 7000 dozen per jaar

DRUIVENSOORT: pinot noir (in Le Montrachet alleen chardonnay)

GEMIDDELDE LEEFTIJD WIJNSTOKKEN: 47 jaar

PERCENTAGE NIEUW HOUT: 100%

AANBEVOLEN RECENTE WIJNJAREN: 1995, 1993, 1990, 1988, 1985

AANBEVOLEN COMBINATIES: zuiglam en speenvarken; houtsnip en fazant

PLAATSELIJK HOTEL-RESTAURANT: La Côte d'Or, Saulieu

helft van Romanée-Saint-Vivant en een derde van Grands
Echezeaux.

Het *domaine* maakt gebruik van de modernste technieken
van wijnbouw en wijnbereiding. Wijnmakers zijn Aubert de
Villaine, de drijvende kracht achter het DRC, en zijn getalenteerde collega Henry-Fré-
déric Roche. De gemiddelde
leeftijd van de wijnstokken is
indrukwekkend hoog (die
van Romanée-Conti zijn 47
jaar, die van La Tâche 45
jaar). Pesticiden en andere
chemische middelen worden
niet gebruikt.

> ### PROEFRAPPORT
> ### LA TÂCHE 1991
>
> Weerspannig, rijk geschakeerd,
> weelderig helderrood; latent
> complexe aroma's zullen na
> verdere rijping vrijkomen;
> magische balans tussen kracht
> en finesse, het rijpe tannineghal-
> te plakt in de mond; een uitzon-
> derlijke La Tâche uit een
> onderkend jaar. Heeft tijd
> nodig. Drinken vanaf 2001.
> Categorie ★★★★★

Het DRC gebruikte als een
van de eerste een lopende
band tijdens de oogst. De gisting van de vier beste *grand
cru's* vindt plaats in open, houten vaten en die van de Grands
Echezeaux en Echezeaux in roestvrijstalen tanks waarin de
druiven automatisch omlaag geduwd worden. Alle wijnen

Oude en zeer zeldzame flessen Romanée-Conti.

van het DRC rijpen op nieuw eikenhout, maar men let er goed op dat het hout niet te veel houtsmaken afgeeft.

Weinigen trekken de kwaliteit van DRC-wijnen in twijfel. Ze bezitten een geweldige finesse en intensiteit, gepaard met een uitzonderlijk lange afdronk die minutenlang blijft hangen. Van alle wijnen is La Tâche mijn favoriet en vele critici zijn het met mij eens. Achter zijn betoverende bouquet en verfijning zit een zeer houdbare structuur: de ultieme rode bourgogne – in zogenaamd gemiddelde jaren (zoals 1991 en 1987) net zo bevredigend als in topjaren (1993, 1990, 1988, 1962, 1959).

Druiven plukken op Romanée-Conti.

DOMAINE DE THALABERT, CROZES-HERMITAGE

041 Paul Jaboulet Aine,
26660 La Roche de Glun, Frankrijk
Tel: (+33) 4 75 84 68 93 Fax: (+33) 4 75 84 56 14
Bezoekers: 9.00-11.00 uur en 14.00-17.00 uur

*H*et beroemde huis van Paul Jaboulet Aine (PJA), opgericht in 1834, had jarenlang de terechte reputatie van belangrijkste leverancier van topwijnen uit de Rhône-vallei. Halverwege de jaren '80 werd deze eerste plaats overgenomen door Guigal. En wijnen van super-Hermitage-makers als Gérard en Jean-Louis Chave of Bernard Faurie zijn nu gewilder dan PJA's Hermitage La Chapelle (behalve de uitmuntendende 1990).

Jaboulets enige troef is het 40,5 ha grote Domaine de Thalabert in Cro-

EXTRA INFORMATIE

EIGENAAR: familie Jaboulet
WIJNMAKER: Philippe Jaboulet
WIJNGAARD: 40,5 ha
PRODUCTIE: 15.000 dozen per jaar
DRUIVENSOORT: syrah
GEMIDDELDE LEEFTIJD WIJNSTOKKEN: 15-20 jaar
PERCENTAGE NIEUW HOUT: 10-35%
AANBEVOLEN RECENTE WIJNJAREN: 1995, 1994, 1991, 1990, 1988
AANBEVOLEN COMBINATIES: rood vlees en wild

zes-Hermitage, dat '*grand vin* voor een klein prijsje' produceert. De afgelopen 25 jaar was deze prachtige wijn met zijn volle fruit- en kruidentonen zeer betrouwbaar, zowel in de zwaardere (1983, 1988, 1990, 1995) als in de lichtere jaren (1987, 1991).

Het Domaine de Thalabert ligt in het beste *lieudit* van Crozes, Les Châssis, op een oude steenvlakte. De wijn wordt op klassieke wijze gemaakt; de lange gisting wordt gevolgd door 12-16 maanden rijpen in eiken *pièces*. Het percentage nieuw hout blijft beperkt

tot 10-35%, afhankelijk van het wijnjaar. Thalabert is na 5-7 jaar goed op dronk.

De oude kerk van Domaine de Thalabert.

PROEFRAPPORT

DOMAINE DE THALABERT, CROZES-HERMITAGE 1981

Een fascinerende fles die de verwachtingen van de *appellation Crozes* overtreft.
Donker, somber robijnrood met paarse gloed; zeer houdbare structuur voor dit jaar; geeft langzaam tonen van moerbessen prijs, indrukwekkende afdronk, ondersteund door elegante tannine; mooi gemaakt; smaakt niet naar nieuw hout, maar naar rijpe, oude wijn – een klassieke noordelijke Rhône-wijn, een uitstekende koop.
Categorie ★★★★

MAISON JOSEPH DROUHIN

7 rue d'Enfer, 21200 Beaune, Frankrijk
Tel: (+33) 3 80 24 68 88 Fax: (+33) 3 80 22 43 14
Bezoekers: alleen op afspraak

*T*oen ik eind jaren '60 als groentje in de wijnhandel in Beaune werkte, viel het niet mee om iets te begrijpen van het doolhof van Bourgogne. Het was nog voor de tijd van de wetten van de *appellation controlée* en allerhande soorten wijn uit de Midi en het Zuiden kwamen terecht in flessen met het etiket Nuits-St.-Georges of Gevrey-Chambertin. Voor wie een echte kwaliteitswijn wilde, was Maison Drouhin een van de weinige echt betrouwbare huizen. Robert Drouhin, hoofd van het bedrijf sinds 1957, is er dan ook altijd stellig van overtuigd geweest

EXTRA INFORMATIE

EIGENAAR: Snowhill Farms (Japan)

WIJNMAKERS: Laurence Jobard en Veronique Boss-Drouhin

PRODUCTIE: 100.000 dozen per jaar

DRUIVENSOORT: pinot noir (voor rode wijn)

GEMIDDELDE LEEFTIJD WIJNSTOK-KEN: 32 jaar (Clos des Monches)

PERCENTAGE NIEUW HOUT: geheim

AANBEVOLEN RECENTE WIJNJAREN: 1996, 1995, 1993, 1990

AANBEVOLEN COMBINATIES: wild, parelhoen, zuiglam

PLAATSELIJK RESTAURANT: La Côte d'Or, Saulieu

dat bourgogne-wijnen uitstekende, volstrekt authentieke wijnen behoren te zijn. Het bedrijf heeft in Oregon op indrukwekkende wijze het Domaine Drouhin opgezet, maar handelt verder nooit in wijnen van buiten de Bourgogne.

Maison Drouhin is waarschijnlijk het bekendst vanwege zijn witte wijnen en bezit een grote wijngaard van 37,5 ha in Chablis, waarvan een groot deel *grand* en *premier cru*. Haar ware triomf is echter toch haar rode wijn. Clos des Mouches in Beaune is Drouhins modelwijngaard. Hoewel deze druiven voor zowel witte als rode wijn levert, is vooral de rode wijn een echte topwijn. De pure pinot noir, de zachte, subtiele invloed van het *terroir* en een verantwoord gebruik van eikenhout leveren samen een klassieke rode bourgogne van grote klasse op. Sinds 1960 probeert Robert Drouhin het landgoed in de Côte de Nuits te ontwikkelen, dat percelen op de beste plekken bezit, waar-

> ## PROEFRAPPORT
> ## BEAUNE CLOS DES MOUCHES 1995
>
> Levendig, elegant robijnrood; aroma's van fruitige, maar complexe pinot noir, vooral kersen met een vleugje kruidig, gebrand nieuw eiken; na langere flesrijping maken frisse muntsmaken plaats voor secundaire wildtonen. Drinken vanaf 2000.
>
> Categorie ★★★

onder Chambertin, Clos-de-Bèze, Bonnes Mares, Musigny, Clos de Vougeot.

De wijnbouw en vinificatie op Drouhin vindt plaats op traditionele wijze, aangevuld met moderne technieken. Drouhin kweekt eigen planten, de druiven worden handmatig geplukt en de wijnen rijpen in houten *barriques*, al is men spaarzaam met nieuw eiken.

Roberts kinderen zijn ook actief binnen het bedrijf: Frédéric helpt bij het management, Philippe beheert de wijngaarden in de Côte d'Or. Véronique (oenoloog) maakt de wijn op Domaine Drouhin en Laurent is commercieel directeur. Met zo'n enthousiast jong team ziet de toekomst van Drouhin er rooskleurig uit, zo lang de Japanse aandeelhouders hen maar rustig authentieke bourgogne laten maken.

13e-eeuwse kelders van de coöperatie in Beaune.

PIERRE-JACQUES DRUET

Le Pied-Fourrier, 7 rue de la Croix Rouge,
Benais, 37140 Bourgueil, Frankrijk
Tel: (+33) 2 47 97 37 34 Fax: (+33) 2 47 97 46 40
Bezoekers: altijd mogelijk bij aankondiging vooraf

*P*ierre-Jacques Druet begon in 1980 met niets, maar is in nog geen 20 jaar tijd uitgegroeid tot de meest gerespecteerde wijnbouwer van Bourgueil en maker van de grootste rode Loire-wijn. Hij deed zijn wijnkennis op aan het Lycée Viticole in Beaune en maakte zijn studie af in Montpellier en Bordeaux.

Na diverse banen in de wijnwereld te hebben gehad, trouwde hij en ging op zoek naar een eigen wijngaard. Bij een bezoek aan zijn geboorteplaats in de Loire ont-

EXTRA INFORMATIE

EIGENAAR EN WIJNMAKER: Pierre-Jacques Druet

WIJNGAARD: 22 ha

PRODUCTIE: 8000 dozen per jaar

DRUIVENSOORT: cabernet franc

GEMIDDELDE LEEFTIJD WIJNSTOKKEN: 50 jaar, sommige meer dan 95 jaar

PERCENTAGE NIEUW HOUT: 10% (Troncais, gestoomd, niet gebrand)

AANBEVOLEN RECENTE WIJNJAREN: 1996, 1995, 1993, 1990, 1989

AANBEVOLEN COMBINATIES: klassieke Franse gerechten bij rood; Aziatisch bij rosé

PLAATSELIJKE RESTAURANTS: Jean Bardet in Tours; Jacky Dallais in Petit Pressigny

dekte hij bij toeval een perceel oeroude wijnstokken bij het dorpje Benais, vlak bij Bourgueil, en de oude eigenares was tot zijn vreugde bereid om de wijngaard en de vervallen wijnmakerij te verhuren. Pierre-Jacques won met de wijn uit zijn eerste jaar meteen een reeks gouden medailles.

> **PROEFRAPPORT**
>
> **BOURGUEIL**
> **VAUMOREAU**
> **1990**
>
> Na 7 jaar rijpen nog steeds diep zwartpaars, maar elegant en sprankelend. Aroma's en bouquet van verfijnde kruiden als kaneel en sandelhout tegen een ondergrond van rijp fruit van zeer oude wijnstokken. De smaak tart elke beschrijving; zeer complex maar uitnodigend, met een karakteristieke wijnsmaak en tanninegehalte. Niet ontkurken voor 2005; gaat bij een goede opleg mee tot halverwege de 21e eeuw. *Très grand vin*. Geproefd in september 1997.
>
> Categorie ★★★★★

De zeer logisch en wetenschappelijk ingestelde Pierre-Jacques houdt de nieuwste technische ontwikkelingen scherp in de gaten en gebruikt ze om zijn wijn te verbeteren. Hij gebruikt kleine, kegelvormige, roestvrijstalen tanks met een temperatuurregeling voor het gistingsproces. Hij laat de wijn niet rijpen in kleine *barriques*, die een te houtige smaak zouden kunnen afgeven, maar in grote eiken vaten met zo'n 690 l inhoud.

De vatrijping duurt 1,5-4 jaar, afhankelijk van de zwaarte van de wijn en het deel van de wijngaard waar hij vandaan komt. Pierre-Jacques maakt een mooie, verfijnde, maar rijk geschakeerde rosé – de enige wijn die hij in hout laat gisten om de scherpe kantjes weg te slijpen.

Ook maakt hij een rode Chinon van oude wijnstokken, Clos du Danay.

Topwijnen uit zijn kelder zijn de vier Bourgueils. Les Cents Boiselles met sterke, primaire smaken van cabernet franc is het eerst rijp. De Beauvais is een complete wijn met een mooie balans, verlevendigd met wilde bramensmaken. Grand Mont heeft meer concentratie en tannine. De spectaculaire Vaumoreau, een monumentale wijn van 50-100 jaar oude wijnstokken, is zo zwart als de Egyptische nacht en een modelvoorbeeld van het complexe samenspel tussen kruidige fruitsmaken en hemelse geuren die een echt grote wijn kenmerken. De 1990 is de beste rode Loire-wijn die ik ooit heb geproefd.

DOMAINE DU COMTE
GEORGES DE VOGÜE

Rue Sainte-Barbe, 21220 Chambolle-Musigny, Frankrijk
Tel: (+33) 8 62 86 25 Fax: (+33) 8 62 62 38
Bezoekers: alleen op afspraak

De grootste troef van dit zeer beroemde *domaine* is de 6,7 ha grote wijngaard Le Musigny met de 'de vogue'-wijnstokken waar deze fabelachtige *grand cru* voor driekwart van wordt gemaakt. Het wijnhuis bezit ook een flinke 2,5 ha Bonnes Mares, 0,5 ha van de Chambolle *premier cru* Les Amoureuses, en 2 ha Villages Chambolle. Met zulke uitzonderlijke wijngaarden heeft deze producent altijd het potentieel gehad om grote rode bourgognes te produceren, maar hij kon het niet altijd waarmaken.

EXTRA INFORMATIE

EIGENAAR: barones Elizabeth de Ladoucette

WIJNMAKER: François Millet

WIJNGAARD: 12 ha

PRODUCTIE: 6000 dozen per jaar

DRUIVENSOORT: pinot noir

GEMIDDELDE LEEFTIJD WIJNSTOKKEN: 40 jaar

PERCENTAGE NIEUW HOUT: 40-70%, afhankelijk van wijnjaar

AANBEVOLEN RECENTE WIJNJAREN: 1995, 1993, 1991

AANBEVOLEN COMBINATIES: gegrild vlees

PLAATSELIJK RESTAURANT: Les Millesimes, Gevrey-Chambertin

Elizabeth de Ladoucette, de huidige eigenares, stelde in 1985
François Millet aan als wijnmaker en voerde radicale veranderingen door. Sinds begin jaren '90 behoort deze wijnproducent weer tot de beste van de
Côte d'Or.

François laat de druiven lang in
contact met de schillen om zijn wijnen meer structuur te geven. Hij is
spaarzaam met nieuw hout. Le
Musigny *Vieilles Vignes* is zijn beste wijn – een mooi product van het
schitterende *terroir*. De 1991 is een
prachtig voorbeeld, onder lastige
omstandigheden gemaakt; de wijngaard had die zomer veel hagel-
schade, wat de aangetaste druiven
een smaak van bruine rot gaf. En
dus stuurde François rond de
oogsttijd 60 *vendangeurs* de wijngaard in, gewapend met
een pincet, om de kapotte druiven te verwijderen. De uiteindelijke wijn is een van de geconcentreerdste Musigny's die op
het *domaine* is gemaakt, heel anders dan de aromatische, vrij
brutale 1989.

De 1992 is problematischer (zie Proefrapport), alsof het
kwetsbare fruit niet sterk genoeg was voor een lange vatrijping en daardoor aan charme en aroma heeft ingeboet. Het
landgoed produceert ook een zeldzame Musigny *blanc* in
zeer beperkte hoeveelheden.

PROEFRAPPORT
LE MUSIGNY
VIEILLES VIGNES
1992

Donkere kleur voor een 1992;
doffe, gesloten neus, krijgt na
'ademen' iets plantaardigs;
gereserveerd en tanninerijk,
alsof het fruit strijdt om te overle-
ven. Teleurstellend.
Geproefd in september 1997.
Wordt nogmaals geproefd in
1999.

Categorie ★

CHÂTEAU DUCRU BEAUCAILLOU

33250 St.-Julien-Beychevelle, Frankrijk
Tel: (+33) 5 56 59 05 20 Fax: (+33) 5 56 59 27 37
Bezoekers: alleen op afspraak

*D*it landgoed is genoemd naar de prachtige kiezelstenen in de wijngaard (*beaux cailloux*) en naar de familie Ducru die begin 19e eeuw de eigenaar was. Het indrukwekkende *château* heeft een prachtig uitzicht over de Gironde. De wijngaard van 49,5 ha grenst aan Beychevelle en ligt op de mooiste hellingen rond de riviermond. Jean-Eugène Borie, wiens vader het *château* in 1941 kocht, is een open, bescheiden en gastvrije man.

EXTRA INFORMATIE

EIGENAAR: familie Borie

WIJNMAKER: Xavier Borie

WIJNGAARD: 49,5 ha

PRODUCTIE: 20.000 dozen per jaar

DRUIVENSOORTEN: 65% cabernet sauvignon; 25% merlot; 5% cabernet franc; 5% petit verdot

GEMIDDELDE LEEFTIJD WIJNSTOKKEN: 30 jaar

PERCENTAGE NIEUW HOUT: gemiddeld 50%

AANBEVOLEN RECENTE WIJNJAREN: 1996, 1990, 1986, 1982

AANBEVOLEN COMBINATIES: gebraden rundvlees, lam en fazant

PLAATSELIJK RESTAURANT: Le St.-Julien, St.-Julien

Ducru is al jaren beroemd om zijn wijn. In feite is dit de meest klassieke *grand cru* van de Médoc – geurig, soepel, maar met een verborgen kracht en grote bewaarcapaciteit dankzij het hoge percentage caber-net sauvignon in de *assemblage*. In goede jaren –en daar zijn er veel van geweest– heeft Ducru een opmerkelijke gratie en schoonheid van smaak. De mooiste wijnen zijn gemaakt in 1961 (nu op zijn hoog-tepunt), 1970, 1978, 1982 en 1986. De 1990 is naar mijn smaak de beste Ducru sinds 1961 en per-fect op dronk in 2005-2010. De 1994 was een groot succes in een goed jaar, en de 1996, doordrongen

PROEFRAPPORT

CHÂTEAU DUCRU
BEAUCAILLOU
1992

Fraai donker robijnpaars; nog gesloten aroma's, maar met de belofte van geurig rood fruit; zeer elegant, zeer Ducru; krach-tig met duidelijk cabernet-fruit, mooie harmonie van smaken, lengte en finesse. Een van de beste van 1994.

Categorie ★★★

van de smaken van zeer rijpe cabernet, wordt een fantasti-sche wijn voor hen die geduldig genoeg zijn om hem pas in 2016 te openen er ervan te genieten.

In 1978 kocht Jean-Eugène Borie Château Grand Puy Lacoste in Pauillac (*zie aldaar*). In de afgelopen 20 jaar heeft Xavier Borie, zijn zoon, deze vijfde *cru* tot de top van de geclassifieerde Médoc-*cru's* gebracht. Zijn vader stierf in 1998 en Xavier leidt het *château* nu.

DOMAINE DUJAC

7 rue de la Bussière,
21220 Morey-St.-Denis, Frankrijk
Tel: (+33) 3 80 34 32 58 Fax: (+33) 3 80 51 89 76
Bezoekers: alleen op afspraak

*A*ls kind van een van de bekendste Franse gastronomen begon Jacques Seysses al op jonge leeftijd met wijnproeven. Kort nadat zijn vader een deel van een wijngaard in Volnay had gekocht, nam Jacques een maand vrij om te helpen met de oogst en vinificatie van 1966. Het jaar daarop deed hij hetzelfde en toen stond zijn besluit vast – hij wilde zelf een wijngaard in de Bourgogne kopen.

Eind jaren '60 vond Jacques een klein *domaine* in Morey-St.-Denis – een oud huis, kelders en ruim 4 ha

EXTRA INFORMATIE

EIGENAAR: Jacques Seysses
WIJNMAKER: Jacques Seysses
WIJNGAARD: 11 ha
PRODUCTIE: 5000 dozen per jaar
DRUIVENSOORTEN: 95% pinot noir;
5% chardonnay
GEMIDDELDE LEEFTIJD WIJNSTOKKEN: 25 jaar
PERCENTAGE NIEUW HOUT:
80-100%
AANBEVOLEN RECENTE WIJNJAREN:
1995, 1993, 1991, 1990, 1989
AANBEVOLEN COMBINATIES: duif en ander gevogelte
PLAATSELIJK RESTAURANT: Chez Greuse, Tournus

Domaine Dujac en de omringende wijngaarden in
Morey-St.-Denis.

wijnstokken. Hij noemde het Domaine Dujac, met zijn voornaam erin verwerkt. Toen hij eenmaal van de opbrengst kon leven, zegde hij in 1973 zijn baan als bankier in Parijs op en werd full-time *vigneron*, gesteund door zijn Amerikaanse vrouw Rosalind.

Het *domaine*, dat nu als een van de 'klassiekers' van de Côte de Nuits wordt beschouwd, bestaat uit zo'n 11 ha, met wijngaarden in de *grand cru's* van Clos de la Roche (1,8 ha) en Clos St.-Denis (1,6 ha), kleinere percelen in Bonnes Mares en Echezeaux en een wijngaard met oeroude wijnstokken in Gevrey-Chambertin aux Combottes.

Jacques Seysses is voorstander van een klassieke werkwijze. Hij mijdt bestrijdingsmiddelen en geeft zijn wijnstokken organische mest. De gisting duurt 10-14 dagen en vindt plaats in geëmailleerde stalen vaten in een passend formaat voor elk perceel. De wijnen rijpen 16 maanden in 100%

nieuwe houten vaten. Toch worden ze nooit te houtig, omdat de duigen 3 jaar aan de lucht gedroogd en licht gebrand worden.

MOREY SAINT-DENIS
APPELLATION MOREY SAINT-DENIS CONTROLÉE
1969
DOMAINE DUJAC
S.C.E. SEYSSES PÈRE & FILS   PROPRIÉTAIRE A MOREY - ST. DENIS (COTE D'OR)

Een van de grootste charmes van een mooie rode bourgogne is de geur en de wijnen van Dujac zijn uitzonderlijk geurig. Zijn Clos St.-Denis 1972 (een sterk onderschat wijnjaar), gedronken in 1988, was een heerlijk kruidige, sensuele wijn, een echte kleine 'Jezus in een fluwelen broek', zoals ze in Beaune zeggen. De Clos de la Roche is steviger, een echte bewaarwijn, zeker die van 1991, een jaar met een lage opbrengst – een van de best bewaarde bourgogne-geheimen van de afgelopen jaren.

PROEFRAPPORT

CLOS DE LA ROCHE, DOMAINE DUJAC 1991

Donkerder dan gebruikelijk voor Dujac-wijnen, een echte 'robe'; intens geconcentreerd pinot noirfruit met secundaire aroma's van mineralen, kruiden en leer; fraaie viscositeit, plakt in de mond, krachtig maar rijp tanninegehalte en een complex samenspel van dierlijke, plantaardige en minerale smaken. Een afdronk van minstens 2 minuten. *Grand vin.* Drinken vanaf 2000.

Categorie ★★★★★

ANGELO GAJA

Via Torino 36, 12050 Barbaresco (CN), Italië
Tel: (+39) 173 63 51 58 Fax: (+39) 173 63 52 56
Bezoekers: alleen op afspraak

*D*e familie Gaja uit Spanje vestigde zich omstreeks het jaar 1650 in Piemonte. In 1859 richtte Giovanni Gaja het wijnhuis op en na 1961 veranderde zijn achterklein- zoon Angelo dit traditionele wijnhuis in een van de meest prestigieuze Italiaanse wijn- goederen. Een Gaja Barbaresco van één wijngaard kost tegenwoordig evenveel als een betere *deuxième cru* bordeaux of een *grand cru* bourgogne.

Gaja streeft naar wijnen van de hoog- ste kwaliteit, waarbij de kwaliteit van de druiven voorop staat. Omstreeks 1965

EXTRA INFORMATIE

EIGENAAR: Gaja Societa Semplice

WIJNMAKER: Angelo Gaja

WIJNGAARD: 91 ha

PRODUCTIE: 32.000 dozen per jaar

DRUIVENSOORTEN: 48% nebbiolo; 32% barbera, dolcetto en freisa; 20% niet-inheemse rassen

GEMIDDELDE LEEFTIJD WIJNSTOK- KEN: 30 jaar (Barbaresco-wijngaarden)

PERCENTAGE NIEUW HOUT: 33-50%

AANBEVOLEN RECENTE WIJNJAREN: 1990, 1989, 1988

AANBEVOLEN COMBINATIES: wild en porcini-paddestoelen

PROEFRAPPORT

GAJA BARBARES-CO 1990

Elegant, diep robijnrood; heerlijke Barbaresco-neus van teer en rozen; fraai gedefinieerd nebbiolo-fruit, rijk en vol, geen spoortje oxidatie. Zeer lange afdronk. Voorbeeldig.

Categorie ★★★

begon hij te experimenteren met een snoeisysteem dat de opbrengst van de nebbiolo-druif drastisch verminderde: slechts 10 knoppen per wijnstok. Met de komst van Guido Rivella in de jaren '70, Gaja's oenoloog, begon de wijn zuiverdere fruitsmaken en een zachter tannineghalte te krijgen. Deze vooruitgang werd bereikt door het gebruik van stikstof tijdens de vinificatie, wat de wijn beschermt tegen oxidatie en instabiele zuren.

Gaja's drie Barbaresco's, elk afkomstig uit één wijngaard, zijn wijnen van wereldklasse. De Sori San Lorenzo (4 ha) is evenwichtig en diep van smaak; de Sori Russi (4,5 ha) is geweldig geurig met een fluwelige textuur; de Sori Tilden (3,5 ha) heeft de donkerste kleur, de duurzaamste structuur en de grootste bewaarcapaciteit. Voor wie een zachter geprijsd wijntje wil, is de gewone Barbaresco 1990 aan te bevelen.

Angelo Gaja – een voortreffelijk wijnmaker.

Gaja maakt ook een indrukwekkende Barolo van zijn Marenca-Rivette-wijngaard van 28 ha in Serralunga. Hij was de eerste wijnbouwer die cabernet sauvignon (en chardonnay) in Piemonte plantte. De wijnen zijn beslist uitmuntend, met name de Darmagi Cabernet Sauvignon van 1991 mag er zijn, maar ze zijn wel erg duur.

ÉTABLISSEMENTS GUIGAL

Château d'Ampuis, 69420 Ampuis, Frankrijk
Tel: (+33) 4 74 56 10 22 Fax: (+33) 4 74 56 28 76
Bezoekers: alleen op afspraak

*M*arcel Guigal is een belangrijke figuur in het noordelijke Rhône-gebied, een man met briljante vinificatiemethoden en een scherp inzicht in de markt. Het bedrijf werd in 1946 opgericht door zijn vader, Étienne Guigal – vroeger keldermeester en

EXTRA INFORMATIE

EIGENAAR: familie Guigal

WIJNMAKER: Marcel Guigal

WIJNGAARD: Château d'Ampuis 8 ha; La Landonne 1,7 ha; La Turque 1 ha

PRODUCTIE: Château d'Ampuis 3200 dozen; Brune et Blonde 1650 dozen; La Mouline 400 dozen; La Landonne 800 dozen; La Turque 400 dozen per jaar

DRUIVENSOORTEN: 89-100% syrah; 0-11% viognier (afhankelijk van de wijn)

GEMIDDELDE LEEFTIJD WIJNSTOK-KEN: 15 jaar (La Turque) tot 70 jaar (La Mouline)

PERCENTAGE NIEUW HOUT: tot 100%

AANBEVOLEN RECENTE WIJNJAREN: 1995, 1991, 1990, 1988

AANBEVOLEN COMBINATIES: gebraden wild, gestoofd rundvlees, gebraden gevogelte

PLAATSELIJKE RESTAURANTS: Beau Rivage, Condrieu; Pyramide, Vienne

PROEFRAPPORT

CÔTE RÔTIE CHÂ-
TEAU D'AMPUIS
1995

Diep, donker kersenrood tot aan
de rand van het glas, nu al
open aroma's van framboos,
viooltjes, vleugje vanille van
nieuw hout. Mondvol syrah-fruit,
zachte tannine. Charmant.
Drinken van 1999-2004.

Categorie ★★★

beheerder van de wijngaard van Vidal Fleury in Ampuis. In 1971 nam Marcel de leiding over en nu, 26 jaar later, is het nog steeds een familiebedrijf. De boekhouding wordt bijgehouden door zijn vrouw, Bernadette, en zijn zoon, Étienne, wordt de toekomstige wijnmaker.

Guigals drie beste Côtes Rôties van één wijngaard (La Mouline, La Landonne en La Turque) zijn prachtig rode, sensuele wijnen van rijpe syrah – laat geoogst, lang gegist en 42 maanden gerijpt in 100% nieuw eikenhout. Keerzijde is dat ze door de kleine hoeveelheden (in totaal slechts 1600 dozen per jaar van de 3 *cru's* voor de hele wereldmarkt) en lofprijzingen van critici peperduur en vrijwel niet

De wijngaarden van Guigal met hun typische terrassen die de grond en de planten op hun plaats houden.

Château Guigal, gelegen in een nauw deel van de Rhône-vallei.

te krijgen zijn. Minder draagkrachtige liefhebbers van Côte Rôtie kunnen op zoek gaan naar Guigals fraaie 'Brune et Blonde', ook een succes, met name de 1988 en 1991. De nieuwe Château d'Ampuis, voor het eerst uitgebracht in 1995, is bedoeld voor toekomstig genot en biedt een indruk van de Guigal-magie voor een redelijke prijs. Zijn Côtes du Rhône is een van de beste klassieke Franse wijnen.

Château Haut-Brion

B.P. 24 33602 Pessac, Bordeaux, Frankrijk
Tel: (+33) 5 56 00 29 30 Fax: (+33) 5 56 98 75 14
Bezoekers: alleen op afspraak

*V*an alle *premier cru's* van Bordeaux is Haut-Brion de grootste charmeur, altijd elegant en verfijnd en altijd in topconditie, jong of oud. Het is het oudste en historisch gezien het kleurrijkste wijngoed van de Gironde – hier maakte men in de 17e eeuw de eerste Bordeaux van één wijngaard, voor het eerst in Londense koffiehuizen geschonken en geprezen door vele vooraanstaande schrijvers.

In 1935 werd het wijngoed gekocht door Clarence Dillon, een Amerikaan-

EXTRA INFORMATIE

EIGENAAR: SA Domaine Clarence Dillon

WIJNMAKER: Jean-Bernard Delmas

WIJNGAARD: 43,5 ha

TWEEDE WIJN: Château Bahans

PRODUCTIE: 16.000 dozen per jaar

DRUIVENSOORTEN: 45% cabernet sauvignon; 18% cabernet franc; 37% merlot

GEMIDDELDE LEEFTIJD WIJNSTOKKEN: 35 jaar

PERCENTAGE NIEUW HOUT: 100%

AANBEVOLEN RECENTE WIJNJAREN: 1995, 1990, 1989, 1986, 1982

AANBEVOLEN COMBINATIES: rood vlees en wild

PLAATSELIJKE RESTAURANTS: Le Chapon Fin en Jean Ramet, beide in Bordeaux

se bankier. Hij investeerde grote bedragen in de renovatie van de *chai* en de wijngaard. Zijn kleindochter Joan, hertogin van Mouchy, is nu presidente van de onderneming. Haar algemeen directeur sinds jaren, Jean-Bernard Delmas, is een van de beste wijnmakers van Bordeaux. Op zijn aandringen werd Haut-Brion in 1960 de eerste *premier cru* waarbij de oude houten gistingsvaten werden vervangen door roestvrijstalen tanks. Delmas is een vooraanstaand onderzoeker van druivenrassen en klonen in Bordeaux; hij heeft een uitstekende kwekerij op het wijngoed. In 1983 kocht de familie Dillon het aangrenzende Château la Mission Haut-Brion (*zie aldaar*).

> ## PROEFRAPPORT
> ## CHÂTEAU HAUT-BRION 1989
> Verrassend genoeg een forse wijn met een hoge concentratie. Donkerpaars; genuanceerd bouquet van zwarte bessen, 'sigarenkist' en tabak; lanoline-achtige viscositeit, de fruitsmaken zijn in volmaakte balans met het rijpe tanninegehalte. Grootse wijn. Ten minste goed tot 2020.
>
> Categorie ★★★★★

Haut-Brion is vrijwel altijd de snelst rijpende en toegankelijkste van de *premier cru's*, maar die ongedwongen, jonge charme is bedrieglijk, want de wijn rijpt prachtig. De 1975 en 1979 zijn nu bijna op hun hoogtepunt en de opmerkelijke wijnen uit 1982, 1983, 1985 en 1986 zijn nog lang niet op dronk. De Haut-Brion 1989 is de beste rode wijn van het jaar en overtreft Lafite, Latour en Margaux in elk opzicht – een waardige opvolger van de uitmuntende 1959.

C. A. HENSCHKE

P.O. Box 100, Keyneton, 5353 Australië
Tel: (+61) 8 8564 8223 Fax: (+61) 8 8564 8294
Bezoekers: ma-vr 9.00-16.00 uur; za 9.00-12.00 uur

*H*et dorpje Keyneton, hoog in de bergen van Barossa, is genoemd naar Joseph Keynes, de eerste kolonist in het gebied. Keyneton speelde een belangrijke rol in de pionierstijd van de Australische wijnindustrie. Vóór 1900 waren er al zeven wijnmakerijen; bijna 100 jaar later is Henschke het grootste wijngoed van de streek en volgens velen ook van Australië.

De uit Duitsland en Polen stammende familie Henschke produceert een schitterend assortiment rode en witte wij-

EXTRA INFORMATIE

EIGENAARS: Stephen en Prue Henschke

WIJNMAKER: Stephen Henschke

WIJNGAARD: 101 ha in Eden Valley, Barossa Valley en Adelaide Hills

PRODUCTIE: 600 vaten per jaar

DRUIVENSOORTEN: 30% shiraz; 10% cabernet sauvignon; 3% merlot; 2% malbec; overige 55% riesling, chardonnay, sémillon, sauvignon blanc en gewürztraminer

GEMIDDELDE LEEFTIJD WIJNSTOKKEN: 50 jaar

PERCENTAGE NIEUW HOUT: 70% Frans, 30% Amerikaans

AANBEVOLEN RECENT WIJNJAAR: 1990

AANBEVOLEN COMBINATIES: rund-, kalfs-, varkens- en lamsvlees, wild

nen. Hun grootste wijngaarden in Eden Valley zijn koeler en liggen hoger dan die in de warme Barossa Valley. Dankzij dit klimatische voordeel kunnen de Henschkes aromatische sauvignon/sémillon, weelderige riesling en subtiele cabernet sauvignon maken. Maar hun grootste wijn is zonder twijfel de Hill of Grace, afkomstig van shiraz-wijnstokken die omstreeks 1840 door Duitse emigranten uit Europa werden mee-gebracht. Deze wijnstokken, die nu tot ongeveer 130 jaar oud zijn, geven een zeer lage opbrengst drui-ven met een buitengewoon intense smaak.

Stephen Henschke is een innova-tief shiraz-producent die van zijn wijngaarden en vruchten iets bij-zonders wil maken. De 'hoed' wordt slechts 7 dagen lang omlaag gedrukt en de wijn wordt afgehe-veld terwijl de schillen nog gisten. Op deze manier blijft de heerlijk zachte shiraz-tannine bewaard. De

PROEFRAPPORT

HENSCHKE HILL OF GRACE, KEYNETON SHIRAZ 1992

Mooi stabiel om te zien, donker robijnrood, leeftijd niet zicht-baar aan rand van het glas; aroma's en smaken van heerlijk, rijp moerbeifruit, met zeer complexe mineraaltonen. Zijde-zacht, maar zeer vasthoudende afdronk. Bijna vlekkeloos.

Categorie ★★★★

wijn dankt haar complexiteit, concentratie en houdbaarheid

aan de leeftijd van de wijnstokken. Deze wijn is een van 's werelds grootste rode wijnen en heeft een zachtheid en een charme die onmiskenbaar Austra-lisch zijn – een eerbetoon aan de maker.

De 'Hill of Grace'-wijngaard met meer dan 100 jaar oude shiraz-wijnstokken.

MAISON LOUIS JADOT

21 rue Spullier, 21200 Beaune, Frankrijk
Tel: (+33) 3 80 20 10 57 Fax: (+33) 3 80 22 56 03
Bezoekers: alleen op afspraak

Maison Louis Jadot is het kostbaarste en winstgevendste wijngoed van Beaune. Het bedrijf werd omstreeks 1985 gekocht door de gezusters Koch, eigenaressen van Kobrand, de Amerikaanse distributeur van Jadot. Het was een bijzonder soort overname, die voor de hele Bourgogne gunstig heeft uitgepakt. De familie Gagey (André en nu zijn zoon Pierre-Henri) leidde het bedrijf al 30 jaar, maar kon gelukkig vanuit een sterke positie verkopen, want Kobrand wilde zijn Jadot-agentschap beschermen tegen andere bieders uit de VS. De familie Gagey

EXTRA INFORMATIE

EIGENAARS: familie Koch (Kobrand)
WIJNMAKER: Jacques Lardière
WIJNGAARD: 2,5 ha
PRODUCTIE: 800-1100 dozen per jaar
DRUIVENSOORT: pinot noir
**GEMIDDELDE LEEFTIJD WIJNSTOK-
KEN:** 35-40 jaar
PERCENTAGE NIEUW HOUT: 25%
AANBEVOLEN RECENTE WIJNJAREN:
1996, 1995, 1993, 1990
AANBEVOLEN COMBINATIES: kip met morieljes; gestoofde haas
PLAATSELIJKE RESTAURANTS: Le Jardin des Remparts, Beaune; Lameloise, Chagny

heeft, gesteund door de nieuwe Amerikaanse financiers, de vrije hand gekregen in het beheer van het bedrijf. Ze heeft er sindsdien veel waardevolle wijngaarden op uitgelezen plekjes bijgekocht, met name in de beste rode *cru's* van de Côte de Nuits.

Het bedrijf is nu zo'n 42,5 ha groot en bezit enkele uitmuntende wijngaarden in Clos de Vougeot (3,2 ha) en Corton-Pugets (1,5 ha). In 1997 werd de fraaie, nieuwe wijnmakerij in Beaune in gebruik genomen. Hier worden onder leiding van Jacques Lardière in totaal 130 volle rode topwijnen en schitterende, houdbare witte wijnen geproduceerd, allemaal uit Bourgogne. De Corton (Dr. Peste) 1990, gebotteld door Jadot, is de beste wijn van deze mooie heuvel die ik ooit heb geproefd.

> ## PROEFRAPPORT
>
> ## BEAUNE CLOS DES URSULES 1993
>
> Vol, helder, elegant robijnrood; ferme, gesloten neus; alle aroma's van uitstekende pinot zijn potentieel aanwezig, maar deze wijn is nog erg gereserveerd; krachtig en stroef in de mond, maar met prachtige smaakaccenten van fruit, een vleugje eiken en een lange afdronk. Drinken vanaf 1999.
>
> Categorie ★★★★

Een van de betrouwbaarste en best geprijsde wijnen van de firma is de Beaune Clos des Ursules, afkomstig uit een ommuurde wijngaard van 2,5 ha met een gunstige oostelijke ligging op 300 m hoogte, in de *appellation* Beaune Premier Cru Vignes Franches. De pinot noir-wijnstokken zijn wel 35-40 jaar oud. De gisting in open, houten vaten duurt 4 weken, en na 20 maanden rijpen op eiken vaten (25% nieuw hout) wordt de wijn gebotteld. Al deze factoren dragen bij aan het stoere, klassieke karakter van deze Beaune met haar donkere, weelderige kleur, gulle aroma's en geprononceerde smaken die hun herkomst niet verloochenen. Van de vier uitstekende wijnen uit de jaren '90 (1990, 1993, 1995 en 1996) is de 1993 het klassiekst, voorbestemd voor een lang, gedistingeerd leven.

DOMAINE ROBERT JASMIN

Côte Rôtie, 69420 Ampuis, Frankrijk
Tel: (+33) 4 74 56 11 44 Fax: (+33) 4 74 56 01 78
Bezoekers: op afspraak

Robert Jasmin is een échte wijnbouwer: joviaal, omvangrijk en vol *joie de vivre*. Zijn ontspannen kijk op het leven komt terug in zijn Côte Rôtie, die met een lichte toets gemaakt wordt en een van de geparfumeerdste en subtielste wijnen van de *appellation* is. Roberts vrouw werkt al jaren in een fabriek om het familie-inkomen op peil te houden.

Het *domaine* is in 1930 opgericht door Roberts grootvader. Inmiddels bestaat het wijngoed uit 4 ha volwassen wijnstokken. Deze groeien grotendeels op de roestbruine mica-schist

EXTRA INFORMATIE

EIGENAAR: Robert Jasmin

WIJNMAKER: Robert Jasmin

WIJNGAARD: 4 ha

PRODUCTIE: 1500 dozen per jaar

DRUIVENSOORTEN: 95% syrah;
5% viognier

GEMIDDELDE LEEFTIJD WIJNSTOKKEN: 35 jaar

PERCENTAGE NIEUW HOUT: 10%

AANBEVOLEN RECENTE WIJNJAREN:
1995, 1991, 1990, 1988, 1983, 1978

AANBEVOLEN COMBINATIES: gestoofde haas, gestoofd wild zwijn

PLAATSELIJKE HOTEL-RESTAURANTS:
Beau Rivage, Candrieu; La Pyramide, Vienne

(glimmerlei)-grond van de beste hellingen van de Côte Brune – een ideale omgeving voor syrah. In de kelder zijn geen technische snufjes te vinden. De wijnen worden op traditionele wijze gemaakt, *à la façon de grand-père*. De steeltjes worden niet verwijderd en de gisting in cementen vaten duurt 15-20 dagen. Daarna rijpen de wijnen 2 jaar, deels in *demi-muids* van 586 l en deels in *pièces* van 221,5 l. Robert, die vindt dat Franse wijnen door ongelimiteerd gebruik van nieuw eikenhout te veel op elkaar gaan lijken, gebruikt in totaal slechts 10% nieuw hout.

> ### PROEFRAPPORT
> ### CÔTE RÔTIE 1995
> Prachtig, donker, helder en elegant robijnrood; aroma's van frambozen en de aardse geur van truffels; klassieke Côte Rôtie; zacht, puur syrah-fruit, verfijnd evenwicht en lange afdronk. *Grand vin*. Drinken vanaf 2003.
> Categorie ★★★★

Dit levert sensuele, verfijnde wijnen op, niet zwaar of al te extractrijk. De 1995 is een uitzonderlijke wijn (*zie* Proefrapport), net als de 1991. De legendarische 1978 is een magnifieke, uitgesproken evenwichtige, geconcentreerde wijn. Het bruisende syrah-fruit is na 20 jaar nog steeds vitaal en fris.

Robert Jasmin maakt een schitterende
Côte Rôtie.

DOMAINE MICHEL LAFARGE

Rue de la Combe, 21190 Volnay, Frankrijk
Tel: (+33) 3 80 21 61 61 Fax: (+33) 3 80 21 67 83
Bezoekers: alleen op afspraak

*O*ndanks grote verbeteringen op het gebied van de vinificatie in de Côte d'Or is het kopen van een klassieke rode bourgogne nog altijd een riskante onderneming. Als ik een wijnbouwer moet noemen wiens wijnen altijd goed zijn, is het Michel Lafarge, de voormalige burgemeester van Volnay.

Deze lange, gedistingeerde man van begin 70 begon zijn leven al met een

EXTRA INFORMATIE

EIGENAAR: Michel Lafarge

WIJNMAKERS: Michel en Frédéric Lafarge

WIJNGAARD: ruim 6 ha

PRODUCTIE: 6000 dozen per jaar

DRUIVENSOORTEN: 95% pinot noir; 5% chardonnay

GEMIDDELDE LEEFTIJD WIJNSTOK-KEN: 30 jaar

PERCENTAGE NIEUW HOUT: geen gegevens beschikbaar

AANBEVOLEN RECENTE WIJNJAREN: 1996, 1995, 1993, 1990

AANBEVOLEN COMBINATIES: gebraden gevogelte

zekere voorsprong. Het familie-*domaine*, opgericht in de 19e eeuw, was een van de eerste wijnhuizen die omstreeks 1930 zelf hun wijnen bottelden. Het kostbaarste bezit van de Lafarges is Clos des Chênes (0,9 ha), die altijd hun beste, langst te bewaren wijnen oplevert; het parfum en bouquet van een grote Volnay, samen met de magische combinatie van uiterste verfijning en een stevige tanninestructuur, staan garant voor een lang leven. De wijn van 1983, gedronken in 1994, is een van de beste vier of vijf wijnen die ik in 30 jaar proeven ben tegengekomen.

Andere 'juweeltjes' zijn de fraai gebalanceerde Beaune Grèves, de integere, elegante Pommard Pèzerolles en de majestueuze, fruitige Volnay Clos du Château des Ducs – stuk voor stuk schitterende wijnen.

Toch is het meesterschap van wijnmakers Michel en zoon Frédéric in hun minder beroemde wijnen minstens zo opwindend. De Bourgogne Rouge met haar bescheiden etiket is in elk opzicht een heerlijke mini-Volnay. De Volnay Vendanges Sélectionnés is een prima koop en in de vaak weinig bijzondere jaren 1992 en 1994 beter dan de *premier cru's* van andere producenten. De Lafarges maken ook een witte Meursault die heel charmant is omdat hij niet te lang op eikenhout heeft gelegen.

PROEFRAPPORT

VOLNAY DOMAINE MICHEL LAFARGE 1992

Fraai voorbeeld van de hand van de meester in dit lichte, vaak dunne jaar voor rode bourgogne. Mooi gebleven, elegante rode kleur, puur, vol Volnay-fruit met een vleugje kruiden en wild; door frisheid en een bescheiden tanninegehalte ideaal om nu te drinken of een poosje te bewaren (1999-2001).

Categorie ★★★

Michel Lafarge is een van de ruimdenkendste wijnmakers van de Côte. Vinificatie is voor hem vooral goed opletten en flexibel zijn, een houding die gebaseerd is op zijn zeer lange ervaring met de grillige weersomstandigheden van Volnay in de oogsttijd. Elk jaar is anders, maar elk jaar levert hij iets goeds.

Château Lafite-Rothschild

33250 Pauillac, Frankrijk
Tel: (+33) 5 56 73 18 18 Fax: (+33) 5 56 59 26 83
Bezoekers: alleen op afspraak

*L*afite, het *ne plus ultra* van alle *châteaux* in Bordeaux en het meest prestigeuze wijngoed ter wereld, is op het eerste gezicht een uiterst serene en discrete *premier cru*.

Het *château* is een prachtige, 17e-eeuwse havezate met de intieme sfeer van een bewoond landhuis. Toch heeft zich de afge-

EXTRA INFORMATIE

EIGENAARS: Domaines des Barons Rothschild

WIJNMAKER: Gilbert Rokvam

WIJNGAARD: 95 ha

PRODUCTIE: 20.000 dozen (*grand vin*) per jaar

DRUIVENSOORTEN: 70% cabernet sauvignon; 20% merlot; 10% cabernet franc

GEMIDDELDE LEEFTIJD WIJNSTOKKEN: 40 jaar

PERCENTAGE NIEUW HOUT: 100%

AANBEVOLEN RECENTE WIJNJAREN: 1996, 1995, 1990, 1988, 1983, 1982

AANBEVOLEN COMBINATIES: gebraden rund- en lamsvlees

PLAATSELIJK HOTEL-RESTAURANT: Château Cordeillan Bages, Pauillac

-104-

lopen 25 jaar achter deze kalme façade een stille revolutie afgespeeld.

Toen baron Éric de Rothschild in 1974 de leiding van het *château* overnam, was de reputatie van Lafite na een reeks karakterloze wijnen in de jaren '60 en begin jaren '70 flink gekelderd. Baron Éric vroeg advies aan professor Émile Peynaud, nestor van oenologen uit Bordeaux. In 1975 werd een nieuw team van wijnmakers aangesteld onder leiding van Jean Crète (ex Léoville-Las-Cases).

In 1983 werd Crète opgevolgd door Gilbert Rokvam, die verdere verbeteringen invoerde. Hij liet de wijnen uit kwetsbare jaren bijvoorbeeld minder lang op het vat rijpen, wat een cruciaal besluit was waarmee hij de levendige fruitigheid van de Lafite terug wist te krijgen.

> **PROEFRAPPORT**
>
> **CHÂTEAU LAFITE-ROTHSCHILD 1990**
>
> Een wijn die alles heeft: schitterend, sprankelend robijnrood; complexe, klassieke neus van cassis, ceder en een vleugje vanille, krachtig en tegelijk verfijnd van smaak; voorbestemd voor een lang leven. Drinken vanaf 2010.
>
> Categorie ★★★★★

Een nieuwe *chai* in opvallende cirkelvorm kwam gereed in 1987 en werd het jaar daarop gevolgd door een geheel nieuwe wijnmakerij, voorzien van roestvrijstalen vaten met temperatuurregeling.

Sinds de komst van Éric de Rothschild hebben de wijnen van Lafite hun glans en elegantie terug en krijgen ze steeds meer kleur, nuance en smaakintensiteit. De 1975 was de eerste grote Lafite sinds 1959. De 1982 en 1983 zijn schitterende wijnen met een houdbare structuur, die over een paar jaar op dronk zijn; ze weerspreken het oude gezegde dat Lafite-wijnen altijd kwetsbaar zijn. De 1990 is een van mijn favorieten, met een perfecte balans tussen kracht en charme; de geurige 1995 en gespierde 1996 beloven veel voor de toekomst. Sinds 1985 past men een veel strengere selectie toe voor de *grand vin* en gaat een groter deel van de oogst naar de tweede wijn, Carruades de Lafite, die daardoor sterk verbeterd is.

LAKE'S FOLLY VINEYARDS

Broke Road, Pokolbin 2320, NSW, Australië
Tel: (+61) 2 4998 7307 Fax: (+61) 2 4998 7322
Bezoekers: ma-za 10.00-16.00 uur

*T*oen Max Lake, een handchirurg uit Sydney, in 1963 besloot om cabernet-druiven in de snikhete Hunter Valley te planten, verklaarde iedereen hem voor gek. Maar de eigenwijze Max trok zich daar niets van aan, hij was ervan overtuigd dat hij in Pokolbin de perfecte plek had gevonden. Het *terroir* van de wijngaard, die hij spottend 'Lake's Folly' doopte, bestond uit de zeldzame combinatie van een vulkanische helling, vlak land met rivierklei en een zuidoostelijke ligging. De wijnstokken zijn nu ruim 30 jaar oud en leveren wijnen met grote diepgang. Omdat het wijngoed klein is, kunnen de Lakes alle

EXTRA INFORMATIE

EIGENAAR: dr. Max Lake
WIJNMAKER: Stephen Lake
WIJNGAARD: 12 ha
PRODUCTIE: 3000 dozen per jaar
DRUIVENSOORT: cabernet sauvignon (voor rode wijn)
GEMIDDELDE LEEFTIJD WIJNSTOKKEN: 30 jaar
PERCENTAGE NIEUW HOUT: 33%
AANBEVOLEN RECENTE WIJNJAREN: 1996, 1994, 1993, 1987
AANBEVOLEN COMBINATIES: rood vlees en wild

Label on bottle:
GROWN VINTAGED AND BOTTLED ON THE ESTATE
LAKE'S FOLLY
HUNTER VALLEY
Cabernets
1996
WINE OF AUSTRALIA
BOTTLE NO. 20556
750ml

percelen met druiven voortdurend controleren op rijpheid en vroeg in de dag plukken, wanneer ze nog koel zijn.

De vinificatie van dit prima fruit gebeurt op klassieke wijze. De rode wijn gist in open vaten en de hoed wordt met zachtheid behandeld. Dit levert een mild tanninegehalte op en maakt de wijn toegankelijker. Efficiënte koeling is de enige concessie aan de technologie. Na de gisting –het contact met de schillen duurt 7-20 dagen, afhankelijk van het wijnjaar– wordt de

wijn direct in vaten van oud hout gedaan om tot rust te komen. Het voorjaar daarop wordt hij overgeheveld in kleinere, nieuwe Franse *barriques* en 18 maanden daarna wordt hij gebotteld.

De zachte Lake's Folly Cabernet Sauvignon met haar natuurlijke elegantie kan jong gedronken worden, maar is langer houdbaar dan de meeste andere Australische wijnen van dit type. De lijst van mooie jaren is lang. De beste zijn 1987, 1981 en 1978; de 1996, gemaakt door Max' zoon Stephen, is uitmuntend. Op dit wijngoed wordt ook een voortreffelijke, stevige chardonnay gemaakt.

> **PROEFRAPPORT**
> **LAKE'S FOLLY CABERNET SAUVIGNON 1996**
> Zeer diep, weelderig robijnrood; opwindende, veelbelovende neus, fruitig, rokerig, vleugje leer; de aroma's worden bevestigd door de heerlijke complete smaak; goede zuren, rijpe tannine, lange afdronk, gesloten maar veelbelovende wijn.
> Categorie ★★★★

Max Lake (rechts) en zijn zoon Stephen.

CHÂTEAU LA MISSION-HAUT-BRION

33400 Talence Bordeaux, Frankrijk
Tel: (+33) 5 56 00 29 Fax: (+33) 5 56 98 75 14
Bezoekers: op afspraak

*I*n de 17e eeuw werd het *domaine* La Mission-Haut-Brion geschonken aan de Pères Lazaristes, een religieuze orde, opgericht door St.-Vincent de Paul. In de 100 jaar daarna, tot de Franse Revolutie in 1789, streefde de orde ernaar om van de rode Graves-wijn iets bijzonders te maken; het verhaal gaat dat ze *sotto voce* tot de grond baden om nog rijpere druiven te krijgen. Een groot deel van de 20e eeuw was het wijngoed in handen van de familie Woltner, hartstochtelijke wijnmakers, die het op

EXTRA INFORMATIE

EIGENAAR: Domaine Clarence Dillon
WIJNMAKER: Jean-Bernard Delmas
WIJNGAARD: 17 ha
PRODUCTIE: 7000 dozen per jaar
DRUIVENSOORTEN: 48% cabernet sauvignon; 45% merlot; 7% cabernet franc
GEMIDDELDE LEEFTIJD WIJNSTOKKEN: 19 jaar
PERCENTAGE NIEUW HOUT: 100%
AANBEVOLEN RECENTE WIJNJAREN): 1995, 1990, 1989, 1988, 1986, 1985
AANBEVOLEN COMBINATIES: gebraden fazant en hert
PLAATSELIJKE RESTAURANTS: Le Chapon Fin en Jean Ramet, beide in Bordeaux

uitstekende wijze beheerde en de wijn zijn internationale faam bezorgde. Sinds 1983 is het wijngoed in bezit van de familie Dillon van Haut-Brion. Onder leiding van Jean-Bernard Delmas is de oude *chai* gemoderniseerd en een belangrijk deel van de wijngaard herbeplant met merlot met kerngezonde onderstammen.

De wijn van La Mission is donker van kleur en heeft meer pit dan een Haut-Brion; hij is rijk en intens zonder streng of overdreven te zijn. Dit alles heeft te maken met de dikke laag grind in de

> **PROEFRAPPORT**
>
> CHÂTEAU LA MIS-SION-HAUT-BRION 1994
>
> Trager rijpend dan de Haut-Brion 1990; een klassieke La Mission, nog donker, diep robijnrood; exotisch bouquet van warme aarde, leer en peper; krachtig tanninegehalte, maar in balans met mooi fruit en extract. Drinken vanaf 2003.
>
> Categorie ★★★★

wijngaard en de lage opbrengsten. In 1981, 1982, 1983, 1985, 1986, 1988, 1989 en 1990 werd op La Mission een opmerkelijke reeks topwijnen gemaakt. De 1995 is spectaculair, in elk opzicht een *premier cru* (op de naam na) en behoorlijk prijzig. De witte Graves van Château Laville Haut-Brion wordt ook hier gemaakt.

CHÂTEAU LATOUR

33250 Pauillac, Frankrijk
Tel: (+33) 5 56 73 19 80 Fax: (+33) 5 56 73 19 81
Bezoekers: op afspraak

*C*hâteau Latour dankt zijn naam aan de oude vierkante stenen toren (afgebeeld op het etiket) die in de Middeleeuwen als verdedigingswerk diende. De wijngaard, die grotendeels uit de 16e eeuw stamt, ligt in het zuidelijkste puntje van *appellation* Pauillac, op een hoge grindheuvel die uitkijkt over de monding van de Gironde.

Het landgoed was 300 jaar in bezit van de familie De Beaumont, totdat een Brits syndicaat in 1963 meer dan de helft van de aandelen kocht. Op

EXTRA INFORMATIE

EIGENAAR: François Pinault
WIJNMAKER: gegevens niet beschikbaar
WIJNGAARD: 43,5 ha
TWEEDE WIJN: Les Forts de Latour
PRODUCTIE: 20.000 dozen per jaar
DRUIVENSOORTEN: 80% cabernet sauvignon; 15% merlot; 4% cabernet franc; 1% petit verdot
GEMIDDELDE LEEFTIJD WIJNSTOKKEN: 35 jaar
PERCENTAGE NIEUW HOUT: 100%
AANBEVOLEN RECENTE WIJNJAREN: 1996, 1994, 1990
AANBEVOLEN COMBINATIES: hert, gestoofde haas, fazant
PLAATSELIJK HOTEL-RESTAURANT: Château Cordeillan-Bages, Pauillac

advies van de Britse wijnautoriteit Harry Waugh werden de oude houten vaten vervangen door roestvrijstalen tanks – een vernieuwing waar de conserva-tieve keldermeesters vreemd van opkeken. Maar zij gaven zich al gauw gewonnen toen ze de nieuwe Latour 1964 proefden, die werd uitgeroepen tot beste wijn van het jaar. Nadat Latour nog kort in han-den van Allied Lyons was geweest, kwam het in 1993 weer in Frans bezit, toen het werd aangekocht door de industrieel François Pinault.

De oude toren van Château Latour.

Latour opnieuw in topvorm, de beste van dit onopvallende, maar niet verkeerde jaar. Fraai paarszwart; mooie geuren van rood fruit; gul en weelderig, momenteel nog ingepakt in de vanilletonen van nieuw eiken, maar met een rijp tanninegehalte en een eindeloze afdronk.
Drinken in 2005-2020.
Geproefd in november 1997.
Categorie ★★★★

Latour wordt al jaren als de allerbeste bordeaux beschouwd. Deze massieve wijn, onverzettelijk tanninerijk, intens, met briljant contrasterende smaken –variërend van zwarte bessen en kersen tot drop en laurier– is de 'marathonloper' onder de bordeaux-wijnen; grote jaren als 1945 en 1947 zijn op 50-jarige leeftijd nog steeds athletisch en energiek. Net zulke goede wijnen zijn gemaakt in 1949, 1959, 1961, 1962, 1966, 1970, 1975, 1978 en 1982. Daarna raakte Latour even het spoor bijster en kwam er een nogal karakterloze 1983. Gelukkig bleek Latour weer geweldig in vorm met een briljante 1990 en een vertrouwenwekkend krachtige 1994, de eerste wijn die volledig onder de nieuwe eigenaars is gemaakt.

De 'eerstejaars'-kelder van Château Latour. Men laat de wijnen maximaal 35 jaar rijpen.

DOMAINE LEROY

21700 Vosne-Romanée, Frankrijk
Tel: (+33) 3 80 61 10 82 Fax: (+33) 3 80 21 63 81
Bezoekers: alleen op afspraak

*E*uropese en Amerikaanse wijncritici zijn het niet altijd met elkaar eens wat als het bourgognes betreft. Toch deelt men de mening dat Madame Lalou Bize-Leroy de absolute ster van alle grote rodewijnmakers van de Côte is. Haar prestigieuze wijnen kosten meer dan ƒ 1000,- per fles, maar ze verkopen goed en bewijzen zo dat er altijd een markt is voor voortreffelijke, peperdure wijnen.

Het Domaine Leroy ontstond in april 1988, toen zij de wijngaarden en gebouwen van het zieltogende Domaine Charles Noellat in Vosne-Romanée opkocht, in 1989 gevolgd

EXTRA INFORMATIE

EIGENAAR: Maison Leroy
WIJNMAKER: André Porcheret
WIJNGAARD: 22,6 ha
PRODUCTIE: 8000 dozen per jaar
DRUIVENSOORT: pinot noir
GEMIDDELDE LEEFTIJD WIJNSTOKKEN: 40 jaar
PERCENTAGE NIEUW HOUT: 100%
AANBEVOLEN RECENTE WIJNJAREN: 1993, 1990
AANBEVOLEN COMBINATIES: gegrild rood en wit vlees, wild
RESTAURANTS: l'Arpège, l'Ambroisie, Carré des Feuillants, Parijs; Le Cirque, Le Montrachet, New York

door het wijngoed van Philippe Rémy in Gevrey-Chambertin. Lalou was vooral enthousiast over de kwaliteit van de Noellat-wijngaarden in Romanée St.-Vivant en Richebourg. Het duurde echter even voor ze doorhad dat deze percelen concurreerden met wijngaarden van het Domaine de la Romanée-Conti, waar zij op dat moment een der directeuren was. In 1991 werd ze dan ook uit het bestuur van de DRC gezet.

Nu ze kon doen waar ze zin in had, besloot Lalou dat de druiven van Leroy voortaan biodynamisch geteeld zouden worden en ze breidde het *domaine* vlot uit met wijngaarden in Le Musigny, Clos de la Roche, Corton Renardes en een volle 1,25 ha Pommard Les Vignots. Van een beginnend bedrijf van 12 ha in 1988 was Domaine Leroy in 1997 bijna twee keer zo groot geworden. De opbrengsten van de wijngaarden worden zeer laag

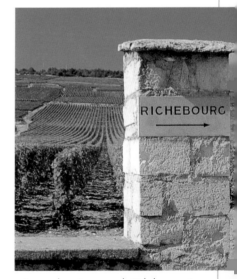

Een markeersteen voor de Richebourg-wijngaard in Vosne-Romanée.

gehouden. De wijn wordt op klassieke wijze bereid, maar met ingenieuze, moderne snufjes. De steeltjes van de druiven worden niet verwijderd en hoewel de langdurige gisting *à l'ancienne* plaatsvindt in open, houten vaten, zijn deze voorzien van roestvrijstalen temperatuurregelaars onder in de bodem, naar een idee van Leonard Humbrecht, de grote wijnbouwer uit de Elzas. De wijnen rijpen in 100% nieuw eiken, dat eerst 3 jaar in de open lucht heeft gedroogd. Het resultaat is een reeks overweldigende bourgognes: diep van kleur, intens, rijk, met een grote variatie in smaak. Lalou's favoriete wijnjaar tot nu toe is 1993, een probleemkindje dat is uitgegroeid tot een kleine, perfect gevormde volwassene. De Romanée St.-Vivant van dat jaar is misschien wel haar grootste wijn, al biedt de Vosne Romanée Les Beaumonts de meeste waar voor zijn geld.

PROEFRAPPORT

ROMANÉE
ST-VIVANT 1993

Zeer geconcentreerd robijnrood, maar helder en elegant; grote, hemelse Vosne-neus, pinot-fruit van oude wijnstokken, Aziatische kruiden; geweldig zachte textuur, plakt in de mond, zeer complexe secundaire smaken, dierlijk, plantaardig en mineraal; onvoorstelbaar lange afdronk, blijft 4-5 minuten hangen.

Categorie ★★★★★

CHÂTEAU LYNCH-BAGES

B.P. 120, 33250 Pauillac, Frankrijk
Tel: (+33) 5 56 73 24 00 Fax: (+33) 5 56 59 26 42
Bezoekers: ma-vr
's Zomers 9.30-12.30 uur en 14.00-19.00 uur
's Winters 9.00-12.00 uur en 14.00-18.00 uur

L ynch-Bages, een charmant, maar bescheiden landhuis, ligt halverwege Mouton en Lafite op het plateau Bages, ten zuidwesten van Pauillac aan de monding van de Gironde. In de 16e en 17e eeuw maakten de wijngaarden deel uit van het land van Lafite, maar in 1728 werd het wijngoed gekocht door Pierre Drouillard, een

EXTRA INFORMATIE

EIGENAAR: Jean-Michel Cazes

WIJNMAKER: Daniel Llose

WIJNGAARD: 91 ha

TWEEDE WIJN: Château Haut-Bages Averous

PRODUCTIE: 35.000 dozen per jaar

DRUIVENSOORTEN: 75% cabernet sauvignon; 25% merlot; 10% cabernet franc

GEMIDDELDE LEEFTIJD WIJNSTOKKEN: 35 jaar

PERCENTAGE NIEUW HOUT: maximaal 75% (afhankelijk van wijnjaar)

AANBEVOLEN RECENTE WIJNJAREN: 1996, 1995, 1990, 1989, 1988

BESTE KOOP: 1994

AANBEVOLEN COMBINATIES: rood vlees (vooral Pauillac-lam) en wild

PLAATSELIJK HOTEL-RESTAURANT: Château Cordeillan-Bages (Relais et Châteaux), Pauillac

Het huis ligt net ten zuidwesten van de stad Pauillac
aan de monding van de Gironde.

hoogwaardigheidsbekleder uit Bordeaux. Zijn dochter Elizabeth trouwde iemand van de familie Lynch, van Ierse
afkomst. Het landgoed werd in 1937 gekocht door Jean-
Charles Cazes, grootvader van de huidige eigenaar, Jean-
Michel Cazes. Voor hij Lynch-Bages kocht, had Jean-Charles
de kneepjes van het vak geleerd als wijnmaker en eigenaar
van het *cru bourgeois* Château Les Ormes de Pez (nog steeds
in bezit van de familie Cazes) in St.-Estèphe.

In de jaren '40 en '50 bereikte Lynch-Bages een hoge
graad van perfectie. Jean-Charles maakte een paar fantastische wijnen die, als ze goed zijn opgelegd, nog steeds lekker
zijn. De klassieke, evenwichtige 1955 en de krachtige, intense 1947 zijn uitmuntende voorbeelden die ook genoemd
worden door Clive Coates in zijn *Grands Vins* (Weidenfeld
en Nicolson). De eerste grote bordeaux die ik ooit proefde
was de ferme, cederachtige 1961, gedronken in 1976. De
1962 is ook een grootse wijn.

In de jaren '70 ging het minder goed met Lynch-Bages.
Jean-Charles stierf in 1972 en zijn zoon André moest een
enorm bedrag aan successierechten ophoesten. Er bleef dus
weinig geld over om de apparatuur te vernieuwen en het

kelderpersoneel werd ouder en minder flexibel. Maar André was zo slim om in 1976 Daniel Llose, een briljante jonge wijnmaker, aan te stellen. Llose kreeg alle ruimte om zijn talenten te ontplooien in de inmiddels verbouwde kelder met roestvrijstalen vaten met warmteregulatie en –heel belangrijk– de ruimte om de druiven uit diverse delen van de wijngaard apart te behandelen. De volle, geconcentreerde 1981 was het eerste tastbare bewijs van de ommekeer op Lynch-Bages en er volgde een schitterende 1982. De 1985 is een van de beste wijnen van dat jaar –rijk, soepel en vlezig– en de 1989 is een massieve wijn met een haast Californische intensiteit. De druiven worden laat geplukt, zodat het tanninegehalte zo rijp mogelijk is. Het percentage nieuwe eiken *barriques* voor de rijping is de laatste jaren verhoogd, maar hangt af van het karakter van het wijnjaar. Zo heeft de 1996 met zijn uitstekende structuur gerijpt in 75% nieuw eiken.

In de jaren '90 produceerde Lynch-Bages wijnen van 'super *deuxième cru*'-kwaliteit. Het ware kaliber van een bordeauxwijngoed blijkt altijd in slechte wijnjaren; onder de regenachtige omstandigheden van 1992 en 1993 produceerde Lynch-Bages wijnen met veel fruit en stevigheid, dankzij een strenge selectie van de druiven. De 1994, die over 6-8 jaar op dronk is, is een mooie cabernet-gedomineerde wijn en een relatief goede koop nu de prijzen van bordeaux omhoog schieten. De 1995 en 1996 zijn fantastische jaren – Jean-Charles zou er zijn petje voor hebben afgenomen!

> **PROEFRAPPORT**
>
> CHÂTEAU LYNCH-BAGES 1994
>
> Fraai, donker, maar elegant robijnrood; een neus en mond vol bijzonder puur cabernet-sauvignon-fruit; accenten van cassis en sigaren, echt een topklasse Pauillac – heel goed gemaakt, zijdezacht tanninegehalte. Een bijzondere 1994.
>
> Categorie ★★★★

Jean-Michel Cazes, eigenaar van Château Lynch-Bages.

CHÂTEAU MARGAUX

33460 Margaux, Frankrijk
Tel: (+33) 5 57 88 83 83 Fax: (+33) 5 57 88 83 32
Bezoekers: op afspraak

*D*e naam Château Margaux wordt in de 18e eeuw al genoemd als een van de vier grote bordeaux-wijnen die jubelend werden ontvangen in de koffiehuizen van Londen. Twee eeuwen later is hij nog steeds de verfijndste, subtielste, maar toch ook zeer gulle wijn van Bordeaux. Het *château* zelf is onbetwist het grootste architectonische kunstwerk van de Médoc.

EXTRA INFORMATIE

EIGENAARS: de families Mentzelopoulos en Agnelli

WIJNMAKER: Paul Pontallier

WIJNGAARD: 79 ha

TWEEDE WIJN: Pavillon Rouge de Château Margaux

PRODUCTIE: 31.000 dozen per jaar

DRUIVENSOORTEN: 75% cabernet sauvignon; 20% merlot; 3% petit verdot; 2% cabernet franc

GEMIDDELDE LEEFTIJD WIJNSTOKKEN: 30 jaar

PERCENTAGE NIEUW HOUT: 100%

AANBEVOLEN RECENTE WIJNJAREN: 1996, 1990, 1988, 1986, 1983, 1982, 1978

AANBEVOLEN COMBINATIES: gebraden en gegrild rund- en lamsvlees

PLAATSELIJKE RESTAURANTS: Relais de Margaux en Le Savoie, Margaux

PROEFRAPPORT
CHÂTEAU MAR-
GAUX 1994

Een Margaux met gratie en
elegantie, een en al finesse,
heerlijke kruiden en vanille-
aroma's, goede, ferme smaak,
onderstreept door rijp cabernet-
sauvignon-fruit. Lange, heerlijke
afdronk.

Categorie ★★★

Toen het wijngoed in 1977 werd aangekocht door wijlen André Mentzelopoulos (van de levensmiddelenketen Félix Potin), brak een van de beste perioden in zijn geschiedenis aan. Er werden enorme bedragen geïnvesteerd in de wijngaarden, de *chai* en het *château*. De 1978 is een grote wijn, zeer rijk met een lange afdronk, die nog mee kan tot een heel eind in de 21e eeuw.

Helaas stierf Mentzelopoulos in 1980, nog voordat hij van zijn inspanningen kon genieten. Zijn dochter Corinne is nu president van de onderneming. Onder haar zelfverzekerde leiderschap en de technische leiding van Paul Pontallier is een reeks opmerkelijke wijnen gemaakt in 1982, 1983, 1986, 1988 (een verrassing), 1990 en 1996. De 1994 is een elegante, erg *Margollais* gekleurde bordeaux die middellang bewaard kan worden. De uitbreiding van het aandeel cabernet sauvignon sinds 1978 heeft de wijnen meer structuur gegeven, iets wat in de jaren '60 en '70 soms ontbrak. Pavillon Rou-

ge, de tweede wijn, is qua kwaliteit (niet qua prijs) vergelijkbaar met een aantal *deuxième cru's* uit de Médoc.

ROBERT MONDAVI

7801 St.-Helena Highway, P.O. Box 106,
Oakville, Californië 94562, VS
Tel: (+1) 707 259 9463
Bezoek: dagelijks, mei-oktober 9.00-17.00 uur
november-april 9.30-16.30 uur

*R*obert Mondavi is de bekendste wijnhandelaar van Amerika. De onvermoeibare, innovatieve Mondavi, 'vader' van de Californische wijn, kan als geen ander het genot van het drinken van goede wijn overbrengen en werpt zich op als verdediger van de wijnindustrie tegen de aanvallen van de nieuwe prohibitionisten.

Mondavi's Cabernet Sauvignon Reserve is zijn bekendste wijn. Driekwart van de druiven voor deze klassieke cabernet-wijn groeien op de mooiste plekjes van Napa Valley, onder

EXTRA INFORMATIE

EIGENAAR: Robert Mondavi
WIJNMAKER: Tim Mondavi
WIJNGAARD: 101 ha
PRODUCTIE: 35.000 dozen PER JAAR
DRUIVENSOORT: cabernet sauvignon
GEMIDDELDE LEEFTIJD WIJNSTOKKEN: 30 jaar
PERCENTAGE NIEUW HOUT: 71%
AANBEVOLEN RECENTE WIJNJAREN: 1996, 1995, 1994, 1992, 1991, 1990
AANBEVOLEN COMBINATIES: lamsbout, rosbief
PLAATSELIJKE RESTAURANTS: Mustards, Yountville Diner, Yountville

andere in Mondavi's eigen To-
Kalon-wijngaard in Oakville. De
wijn heeft veel veranderingen door-
gemaakt sinds het eerste jaar in
1965. De 1974 was een schitterende, erg tanninerijke
wijn. De wijnen van
de jaren '80 waren

minder flamboyant, maar in de klassieke
1992 herkennen we de stijl van de oude 1974,
met meer directe, pure fruitsmaken. Het tanninegehalte is zachter omdat de druiven
zachtzinniger behandeld worden en langer
gisten (maximaal 27 dagen).

Mondavi's initiatief om samen met wijlen
baron Philippe de Rothschild een nieuwe
wijn te creëren, de Opus One, deed veel
stof opwaaien. Vanaf het eerste jaar,

Robert Mondavi, de bekendste wijnhandelaar
van Verenigde Staten.

Mondavi's futuristische wijnmakerij in Oakville,
Californië.

1979, was het hun doel een op cabernet gebaseerde wijn te maken die de weelderige charme van Napa zou combineren met de structuur en klasse van een grote médoc. Men vond de eerste wijnen te houtig, maar sinds 1985 begint de wijn een evenwicht en subtiele kracht te ver- tonen die aan de wensen van de makers voldoet. De Opus-wijnen van 1987, 1991, 1994 en 1996 wer- den opvallend goed ontvangen.

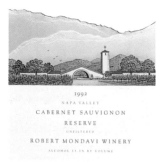

PROEFRAPPORT

ROBERT MONDAVI
CABERNET
SAUVIGNON
RESERVE 1992

Klassieke aroma's van zwarte bessen; genuanceerde smaken van rood fruit en bessen, ondersteund door vanilleaccen- ten van nieuw Frans eiken (Nevers); uitstekende structuur en elegante smaakdefinitie. Op haar hoogtepunt in 1999-2002.
Categorie ★★★★

CHÂTEAU MOUTON-ROTHSCHILD

33250 Pauillac, Frankrijk
Tel: (+33) 5 56 59 22 22 Fax: (+33) 5 56 73 20 44
Bezoekers: aan het wijnmuseum tijdens openingsuren

*C*hâteau Mouton is het levenswerk van baron Philippe de Rothschild die in 1988 overleed. Deze veelzijdige man –geleerde, dichter, theaterimpressario en oceaanzeiler– beschikte over een groot intellect, een grenzeloze fantasie en een tomeloze energie. Alles waar hij aan begon, werd iets bijzonders – zo ook het wijngoed dat hij in 1923 op 21-jarige leeftijd erfde.

In 1925 besloot Rothschild dat alle wijn op het *château* gebotteld moest

EXTRA INFORMATIE

EIGENAAR: barones Philippine de Rothschild

WIJNMAKER: Patrick Léon

WIJNGAARD: 81 ha

PRODUCTIE: 33.000 dozen per jaar

DRUIVENSOORTEN: 78% cabernet sauvignon; 10% cabernet franc; 10% merlot; 2% petit verdot

GEMIDDELDE LEEFTIJD WIJNSTOKKEN: 45 jaar

PERCENTAGE NIEUW HOUT: 80-100%, afhankelijk van wijnjaar

AANBEVOLEN RECENTE WIJNJAREN: 1996, 1986

AANBEVOLEN COMBINATIES: hert, lamszadel, runderlende

PLAATSELIJK RESTAURANT: Château Cordeillan-Bages, Pauillac

Château Mouton-Rothschild in Pauillac.

worden, voor die tijd een revolutionair idee. Vervolgens kwam hij met het plan om elk jaar een kunstenaar te vragen een schilderij te maken voor het etiket. Werken van kunstenaars als Chagall en Andy Warhol sieren de wijnetiketten sinds 1945. Bij wijze van verlate erkenning werd het *château* in 1973 gepromoveerd tot *premier cru*.

Het wijngoed is nu in handen van Philippes enige kind, dochter Philippine, die de samenwerking met de Californische familie Mondavi met betrekking tot de Opus One (*zie aldaar*) nu voortzet. Haar jongste wijnproject in Chili is in 1997 in productie gegaan.

De bodem van de Mouton-Rothschild-wijngaard bestaat grotendeels uit grind en stenen en dat verklaart waarom er een hoog percentage cabernet sauvignon (78%) is aangeplant. Mouton lijkt qua stijl meer op Latour dan op Lafite. Deze Pauillac, sinds begin jaren '80 in topvorm, is een sappige wijn met evenwicht en kracht. De 1982 is fantastisch, en ook in 1986 en 1996, échte cabernet-jaren, zijn hier grote wijnen gemaakt.

> ## PROEFRAPPORT
> ### CHÂTEAU MOUTON-ROTHSCHILD 1994
> Deze Mouton, de eerste met een werk van een Nederlandse kunstenaar (Karel Appel) op het etiket, is krachtig met boterzachte charme. Aroma's van gebrande koffie en zwarte bessen, sterk cabernet-karakter, ondersteund door een mooi tannine-gehalte; fraaie balans en afdronk van een *premier cru*. Topwijn van een goed jaar.
>
> Categorie ★★★★

BODEGAS MUGA

Barrio de la Estación, 26200 Haro, Spanje
Tel: (+34) 941 310825 Fax: (+34) 941 312868
Bezoekers: ma-vr vanaf 11.00 uur

*D*e rode wijnen van deze uitstekende familie-*bodega* zijn precies wat je van een grote rioja verwacht: rijk, complex van smaak, precies de juiste hoeveelheid eikenhout en een fantastische bewaarcapaciteit. De wijnen van *Reserva*-niveau zijn dan ook een uitstekende koop voor nog geen *f* 30,- per fles.

De *bodega* werd in 1932 opgericht door Isaac Muga, afkomstig uit een oude familie van rioja-makers. Zijn zoon, Isaac Jr., leidt het bedrijf sinds

EXTRA INFORMATIE

EIGENAAR: Bodega Muga S.A.

WIJNMAKER: familie Muga

WIJNGAARD: 45,5 ha

PRODUCTIE: 75.000 dozen per jaar

DRUIVENSOORTEN: 70% tempranillo en kleinere percentages gamacha, graciano en mazuelo

GEMIDDELDE LEEFTIJD WIJNSTOKKEN: 60 jaar

PERCENTAGE NIEUW HOUT: 10% (²/₃ Amerikaans en ¹/₃ Frans eiken)

AANBEVOLEN RECENTE WIJNJAREN: 1995, 1994, 1989, 1987, 1985

AANBEVOLEN COMBINATIES: hert, rood vlees, pikante kaas

PLAATSELIJKE RESTAURANTS: Beethoven, Terete, Atamauri, alledrie in Haro

1969 en streeft onvermoei-
baar naar de allerhoogste
kwaliteit. In 1971 werd de
bodega een coöperatie, maar
de familie behield de meer-
derheid van de aandelen om
verzekerd te zijn van de
voortzetting van de traditionele, compromisloze wijnbereiding.

Het bedrijf bezit wijngaarden op de beste plekjes van
Rioja Alta, maar koopt de
meeste druiven in van zo'n 40 kleine boeren, waarvan sommige al drie generaties aan Muga leveren. "We houden van
kleine boeren," zegt Isaac Jr., "want zij hebben weinig land
en schenken veel aandacht aan hun druiven. Ze weten ook
dat wij alleen de beste druiven willen en bereid zijn daar
goed voor te betalen."

Het vinificatieproces verloopt ambachtelijk bij Muga.
Het bedrijf heeft een eigen
kuiperij waar zo'n drie vaten

Gistende druiven in eiken vaten.

per dag worden vernieuwd en gerepareerd. Het afhevelen vindt plaats met behulp van een buizensysteem van vat naar vat, met als doel de onzuiverheden kwijt te raken en de wijn van zuurstof te voorzien. De wijn wordt nooit gefilterd.

Deze toewijding is in het glas terug te vinden. De Reserva 1989 was een geweldige koop met overvloedig bramenfruit en een romige, rijke vanillesmaak. Deze wijn is tot in de 21e eeuw nog uitstekend te drinken. De 1994, begin 1998 op de markt, is ook veelbelovend (*zie* Proefrapport). De paradepaardjes Prado Enea Rioja Gran Reserva 1987 en 1985 zijn onbetwist grote wijnen, maar wel peperduur. De gewone Reserva's zijn hier de beste koop.

De prachtige eetkamer van Bodega Muga.

CHÂTEAU PAPE CLÉMENT

33600 Pessac, Bordeaux, Frankrijk
Tel: (+33) 5 56 07 04 11 Fax: (+33) 5 56 07 36 70
*Bezoekers: op afspraak, ma-vr 9.00-12.00 uur en
14.00-17.00 uur*

*D*eze wijngaard werd in 1300 aangeplant door aartsbisschop Bernard de
Hoth, de latere paus Clementius V, en bleef in
bezit van de Kerk tot aan de Franse Revolutie. Sinds 1939 is hij in handen van de familie van de Franse dichter Paul Montagne. De
wijngaard ligt in een buitenwijk van Bordeaux, maar strekt zich uit over een
breed plateau met een bijzonder lichte,
complexe bodem van zand, grind en
spoorelementen van ijzer. Dit *terroir*

EXTRA INFORMATIE

EIGENAAR: familie Montagne
WIJNMAKER: Bernard Pujol
WIJNGAARD: 30 ha
TWEEDE WIJN: Le Clémentin du Châ-
teau Pape Clément
PRODUCTIE: 10.000 dozen per jaar
DRUIVENSOORTEN: 60% cabernet
sauvignon; 40% merlot
**GEMIDDELDE LEEFTIJD WIJNSTOK-
KEN:** 39 jaar
PERCENTAGE NIEUW HOUT: 80-90%
AANBEVOLEN RECENTE WIJNJAREN:
1996, 1990
AANBEVOLEN COMBINATIES: rund-
vlees, paddestoelen
PLAATSELIJK RESTAURANT: Le Chapon
Fin, Bordeaux

PROEFRAPPORT
CHÂTEAU PAPE
CLÉMENT 1995

Mooi, diep paarsrood, maar niet te veel extract; prachtig aroma van lentebloemen (typisch jonge merlot) en een snufje vanille; misleidend vroegrijp, maar met fraai evenwicht en een verfijnd tanninegehalte.
Klassewijn.
Categorie ★★★★

levert, samen met de klassieke 60/40-melange van cabernet sauvignon en merlot, een wijn op met een elegante en fraaie smaak. Na een serie slappe wijnen is Pape Clément sinds de aanstelling van een nieuwe wijnmaker, in 1985 weer in topvorm. De vinificatie verloopt klassiek met doordachte, moderne snufjes. Zo vindt de melkzuurgisting voor de helft plaats in *barriques* en voor de helft in roestvrijstaal om te voorkomen dat de wijn te houtig wordt. In goede wijnjaren wordt het percentage nieuw hout verhoogd tot 80-90%. De 1986, 1988 en 1990 zijn schitterende, karaktervolle, evenwichtige wijnen. De 1995 is een geurige charmeur; de 1996 heeft de belofte van grootsheid en de smaak van zeer rijpe cabernet sauvignon.

PENFOLDS GRANGE

Tanunda Road, Nuriootpa, Barossa, Zuid-Australië
Bezoekers: niet open voor publiek

*G*range is een voortreffelijke Australische rode wijn, maar zijn geboorte verliep moeizaam. In 1950 bracht Max Schubert, Penfolds belangrijkste wijnmaker, een bezoek aan Bordeaux. Hij kwam terug met de vurige wens om een Australische rode wijn te maken die qua complexiteit en bewaarcapaciteit vergelijkbaar zou zijn met een grote bordeaux- of Rhône-wijn.

In 1951 maakte Schubert vijf experimentele vaten rode wijn van 100% shiraz, hij herhaalde deze formule in 1952 en maakte in 1953 een derde experimentele wijn van 100% caber-

EXTRA INFORMATIE

EIGENAAR: Southcorp Wines

WIJNMAKER: John Duval

WIJNGAARD: druiven komen van diverse leveranciers

PRODUCTIE: 5000-10.000 dozen per jaar, afhankelijk van wijnjaar

DRUIVENSOORT: tot 99% shiraz

GEMIDDELDE LEEFTIJD WIJNSTOKKEN: niet bekend

PERCENTAGE NIEUW HOUT: 100% Amerikaans eiken

AANBEVOLEN RECENT WIJNJAAR: 1990

AANBEVOLEN COMBINATIES: hert, wild, gebraden en gegrild vlees

net sauvignon. Toen zijn bazen de zwarte, tanninerijke wijnen proefden, waren ze ontzet en Schubert kreeg de opdracht om onmiddellijk met de productie van Grange te stoppen. Maar Schubert was, zoals alle grote wijnmakers, vasthoudend en bleef stiekem Grange maken, met stilzwijgende instemming van zijn trouwe stafleden. In

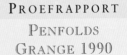

PROEFRAPPORT

PENFOLDS
GRANGE 1990

Intens zwartrood, overgaand in karmijnrood aan de rand van het glas; enorme complexiteit van rijp moerbeifruit, zoete kruiden en een zacht tanninegehalte. In 1997 nog niet echt volwassen, geef hem nog 5 jaar. Een grote Grange.

Categorie ★★★★★

1960 kreeg Schubert eindelijk toestemming om van Grange een van de beste rode wijnen ter wereld te maken.

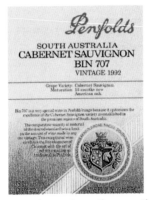

Grange wordt, in tegenstelling tot zijn grote rivaal Henschke's Hill of Grace, niet gemaakt van fruit van één wijngaard. De druiven zijn afkomstig van diverse leveranciers. De gisting vindt plaats bij hoge temperaturen in roestvrij staal. De wijn rijpt gedurende 19 maanden in vaten van nieuw Amerikaans eiken, zodat een goed evenwicht ontstaat tussen fruit en geoxideerde complexiteit – het kenmerk van Grange. De assemblage wordt geheel gedomineerd door shiraz, al voegt men afhankelijk van het wijnjaar 1-13% cabernet sauvignon toe.

CHÂTEAU PETRUS

33500 Pomerol, Frankrijk
Tel: (+33) 5 57 51 78 96 Fax: (+33) 5 57 51 79 79
Bezoekers: alleen op afspraak

*C*hâteau Petrus was in 1945 nog redelijk onbekend, maar is in 50 jaar tijd een van de twee duurste wijnen van Bordeaux geworden. De andere is aartsrivaal Le Pin (*zie aldaar*), ook een Pomerol. De Petrus-wijngaard (11,5 ha) dankt zijn enorme succes aan het commerciële inzicht van Christian Moeuix van Maison J.-P. Moeuix in Libourne. Helaas wordt Petrus, zoals de meeste cultwijnen, vaker besproken dan gedronken en zijn de oude wijnen haast niet te krijgen.

EXTRA INFORMATIE

EIGENAARS: de families Lacoste, Loubet en Moeuix

WIJNMAKER: Christian Moeuix

WIJNGAARD: 11,5 ha

PRODUCTIE: 4500 dozen per jaar

DRUIVENSOORTEN: 95% merlot; 5% cabernet franc

GEMIDDELDE LEEFTIJD WIJNSTOKKEN: 40 jaar

PERCENTAGE NIEUW HOUT: tot 100%

AANBEVOLEN RECENTE WIJNJAREN: 1995, 1990, 1989, 1986, 1985, 1982

AANBEVOLEN COMBINATIES: wild, paddestoelen, Peking-eend

PLAATSELIJK HOTEL-RESTAURANT: Hostellerie Plaisance, St.-Émilion

Petrus is een typisch product van merlot in diepe kleigrond, waarin ze goed gedijt. De wijn is zeer rijk en geconcentreerd. Dat komt door de hoge leeftijd van de wijnstokken en het laag houden van de opbrengsten. De 1945, 1947, 1949, 1950, 1953, 1961, 1967 en gek genoeg de 1971 zijn voortreffelijke wijnen, en dit vakmanschap wordt nog eens bekroond met een reeks successen uit de jaren '70. Met het ouder worden van de wijnstokken worden de wijnen steeds monumentaler, koppiger en traagrijpender. De 1982 en 1985 zijn schitterend en beginnen nu net op dronk te komen; de 1986 zit boordevol tannine en moet nog 20 jaar blijven liggen. De 1989 is charmanter, haast Californisch in haar smeuïge intensiteit en de 1994 is misschien wel de beste wijn van dat jaar aan deze kant van de Gironde.

CHÂTEAU PICHON LONGUEVILLE COMTESSE DE LALANDE

33250 Pauillac, Frankrijk
Tel: (+33) 5 56 59 19, 40 Fax: (+33) 5 56 59 26 56
Bezoekers: op afspraak

*C*hâteau Pichon is een elegant landhuis uit 1840. Sinds 1978 is het *château* in handen van May-Élaine de Lencquesaing, de drijvende kracht achter de wedergeboorte van een wijn die nu als een van de allerbeste Pauillacs met de kwaliteit van een *premier cru* wordt gezien. Geen echte verrassing, want de wijngaarden van Pichon liggen naast die

EXTRA INFORMATIE

EIGENAAR: May-Élaine de Lencquesaing
WIJNMAKER: Thomas Do Chi Nam
WIJNGAARD: 76,5 ha
TWEEDE WIJN: Réserve de Comtesse
PRODUCTIE: 30.000 dozen per jaar
DRUIVENSOORTEN: 45% cabernet sauvignon; 34% merlot; 13% cabernet franc; 8% petit verdot
GEMIDDELDE LEEFTIJD WIJNSTOKKEN: 25 jaar
PERCENTAGE NIEUW HOUT: tot 70%
AANBEVOLEN RECENTE WIJNJAREN: 1996, 1990, 1989
AANBEVOLEN COMBINATIES: lamsstoofschotel
PLAATSELIJK RESTAURANT: Château Cordeillan Bages, Pauillac

PROEFRAPPORT

CHÂTEAU PICHON LONGUEVILLE COMTESSE DE LALANDE 1994

Het donkere, geconcentreerde robijnrood duidt op een grotere wijn dan gebruikelijk voor Pichon Comtesse; sterke cabernet-structuur domineert in de geur en de smaak (merlot deed het minder goed in 1994), maar er is genoeg over van het soepele, geurige Pichon Comtesse-karakter. Een goed gemaakte 1994.

Categorie ★★★

van Latour, met het opvallende verschil dat een derde ervan in de *appellation* St.- Julien valt, en deze wijnstokken geven de wijn een heel eigen soepelheid en bloemachtige elegantie. De donkere, rijke, fruitige wijn is een zeldzaam voorbeeld van een grote médoc die meer dan 30% merlot bevat.

De hervormingsdrang van Madame de Lencquesaing resulteerde in een vergrote *chai*, een nieuwe wijnmakerij en verbeterde faciliteiten voor het ontvangen van gasten en het wijnproeven. Ook zijn het charmante *château* en het park grondig gerenoveerd. Onder haar leiding heeft Pichon Comtesse sinds 20 jaar een prachtige lijst met briljante wijnjaren. Dus wie de vooruitziende blik had om een aantal wijnen uit de jaren '80 (met name 1989, 1986 en 1982) in te slaan, kan zich verheugen op een spectaculaire wijn in de komende jaren. *Bravo, Madame*

Het elegante landhuis van Pichon Comtesse
uit 1840.

RIDGE VINEYARDS

17100 Monte Bello Road, P.O. Box 1810,
Cupertino, Californië 95015, VS
Tel: (+1) 408 867 3244 Fax: (+1) 408 867 2986
Bezoekers: Monte Bello (Cupertino) het hele jaar door
op zaterdag en zondag 11.00-15.00 uur

*D*e cabernets en zinfandels van Ridge behoren bijna elk jaar tot de topwijnen van Californië – echte klassiekers, die kunnen concurreren met de beste ter wereld. Om de grootsheid van Ridge echt te begrijpen moet u iets afweten van de wijze waarop de wijn wordt gemaakt, en van de wijngaarden.

Hoewel Ridge begin jaren '60 is opgericht, in het nieuwe, technologische tijdperk van de Californische wijn, heeft men hier altijd een fundamenteel andere opvatting over vinificatie gehad dan de gemiddelde producent. Zoals Paul

PROEFRAPPORT

RIDGE MONTEBELLO 1993

Intens, haast ondoorzichtig paarsrood; nog gesloten, met klassieke strengheid in de neus, maar de belofte van rijke bosvruchten en drop; monumentaal en geconcentreerd van smaak, maar met verfijnde pit, spanning en fraaie balans. Bewaar deze echte klassieker tot 2003-2005. Geproefd in januari 1988.

Categorie ★★★★★
★★★★★

Draper, wijnmaker en sinds 1969 drijvende kracht achter het wijngoed, zegt: "Onze benadering is simpel: zoek de druiven met de meeste smaak en intensiteit, meng je zo min mogelijk in het natuurlijke proces en probeer alle rijkdom van het fruit in de wijn te krijgen."

Goede wijnen kunnen alleen gemaakt worden van goede druiven die op voortreffelijke plekken groeien. De eerste wijnen van Monte Bello Ridge (in het Santa Cruz-gebergte, ten zuiden van San Francisco Bay) overtuigden de oprichters ervan dat dit een perfecte plek was met een fantastische combinatie van klimaat, bodem en biologische variatie. Toen ze het

EXTRA INFORMATIE

EIGENAAR: dhr. Akihisto Otsuka

WIJNMAKER: Paul Draper

OPPERVLAK WIJNGAARD: Monte Bello 53 ha; Lytton Springs 63,5 ha; Geyserville 34,5 ha

PRODUCTIE: 65.000 dozen per jaar

DRUIVENSOORTEN: monte bello: 57,5% cabernet sauvignon; 20,2% merlot; 15,3% chardonnay; 4,6% zinfandel; 1,5% petit verdot; 1% cabernet franc.

Lytton Springs: 71,1% zinfandel; 11,3% petit syrah; 5,9% grenache; 5,9% syrah; 2,7% barbera; 2,6% mataro; 0,5% carignon.

Geyserville: 65% zinfandel; 20% carignan; 15% petite sirah.

GEMIDDELDE LEEFTIJD WIJNSTOKKEN: Monte Bello 30 jaar; Lytton Springs 50 jaar; Geyserville 60 jaar

PERCENTAGE NIEUW HOUT: 100% voor cabernets, 20% voor zinfandels; allemaal aan de lucht gedroogd Amerikaans eiken

AANBEVOLEN RECENTE WIJNJAREN: 1991, 1992, 1994, 1995, 1996

BESTE KOOP: 1993

AANBEVOLEN COMBINATIES: kruidige lamsstoofschotel bij cabernet; hert met geitenkaas en pikante tomatenrelish bij zinfandel

PLAATSELIJKE RESTAURANTS EN HOTELS: Sent Sovi, Saratoga; Stanford Court Hotel, Palo Alto

potentieel van deze wijngaard hadden ontdekt –een zeldzame prestatie in de wijnwereld– deden de partners hun uiterste best om hem volledig en langdurig in beheer te krijgen, zodat ze de wijnkwaliteit constant hoog konden houden. Monte Bello met zijn koele ligging, zijn oude wijn-

stokken en goed afwaterende onderlaag van kalksteen levert nog steeds enkele van de beste cabernets en merlots van Californië. Ridge least of bezit nu alle wijngaarden op Monte Bello Ridge. Aan de overkant van de baai, in Sonoma, is een andere voortreffelijke combinatie van ligging en biologische variatie te vinden; de ruim 30 opeenvolgende wijnen van de oude zinfandels, carignons en petits syrahs van Geyserville zijn daarvan het opmerkelijk bewijs. De nabijgelegen wijngaard van Lytton Springs is een bijzondere plek.

Paul Draper, wijnmaker.

De opbrengst per wijnstok is hier laag; in het geval van Monte Bello vaak de helft van die van wijngaarden in Napa of in Bordeaux. Paul Draper is een praktische en traditionele wijnmaker: zo min mogelijk handelingen in de wijnmakerij levert een rijke wijn op, waarin het tanninegehalte kan rijpen.

Monte Bello, een klassieke mengeling van cabernet sauvignon en merlot met een beetje petit verdot en cabernet franc, uit een goed wijnjaar, is na 25 jaar nog steeds levendig en krachtig; de 1962, een van Drapers favorieten, is nog steeds heerlijk. De jaren '90 hebben de langste reeks topwijnen in de 35-jarige geschiedenis van Ridge opgeleverd. De 1996, in juni 1997 in Londen geproefd uit het vat, is misschien wel de grootste van allemaal. Kopers die voor een redelijke prijs de grootsheid van een Ridge willen proeven, zitten goed met de Bridgehead Nataro (mourvèdre); de 1995 zit vol sappig fruit met complexe leer- en peperaccenten.

SAN GUIDO SASSICAIA

Tenuta San Guido, 57020 Bolgheri (Livorno), Italië
Tel: (+39) 565 76 20 02 Fax: (+39) 565 76 20 17
Bezoekers: op afspraak

*S*assicaia was de eerste Toscaanse wijn die op barriques werd gerijpt. Deze internationaal geroemde wijn werd begin jaren '40 gecreëerd door markies Mario Incisa della Rocchetta van cabernet sauvignon- en cabernet franc-wijnstokken. Ruim 20 jaar werd de wijn alleen verkocht aan particulieren, maar in 1968 werd hij op de markt gebracht. Incisa's revolutionaire druivenkeuze, de ligging van zijn wijngaard aan zee en zijn vinificatiemethoden sloegen al gauw aan in de wijnwereld, met name in Amerika.

EXTRA INFORMATIE

EIGENAAR: markies Nicolo Incisa della Rochetta

WIJNMAKER: familie Incisa

WIJNGAARD: 50,5 ha

PRODUCTIE: 10.000 dozen per jaar

DRUIVENSOORTEN: 85% cabernet sauvignon; 15% cabernet franc

GEMIDDELDE LEEFTIJD WIJNSTOKKEN: 30 jaar

PERCENTAGE NIEUW HOUT: 40%

AANBEVOLEN RECENTE WIJNJAREN: 1995, 1990, 1985

AANBEVOLEN COMBINATIES: *cinghali* (stoofpot van wild zwijn)

PLAATSELIJK RESTAURANT: Enoteca, Florence

Tegen 1980 was Sassicaia een cult-wijn in de trendy restaurants van New York, Los Angeles en San Francisco, en de prijs was ernaar. Het is een bijzondere wijn die de *premier cru*-wijnen van St.-Émilion nogal eens overschaduwt bij blinde proeverijen.

Sassicaia is een mengeling van 85% cabernet sauvignon en 15% cabernet franc, gekweekt op zeer ste-nige grond met een lage opbrengst – beduidend lager dan die van veel

> ## PROEFRAPPORT
> ### SASSICAIA 1994
>
> Donker, broeierig robijnrood met paarse gloed, wat duidt op veel concentratie. Dat klopt. Compact en fruitig met een vleugje kruiden uit de Maremma; veel tannine, zeer krachtig, overheersende cabernet-smaak; compromisloos, moet nog zeker 20 jaar rijpen. Geproefd in januari 1998.
>
> Categorie ★★★

châteaux uit Bordeaux. De vinificatie vindt plaats in roestvrij staal, gevolgd door 24 maanden rijpen in *barriques* en 12-16 maanden rusten.

Over het algemeen is Sassicaia na 8-12 jaar rijpen écht op dronk. De rijpe wijn heeft een intens bouquet van morellen en wilde kruiden; de balans tussen fruit en hout is uitstekend. De wijn heeft een ver-fijnde geurigheid en de afdronk is lang en fluwelig. De twee beste recente wijnjaren zijn 1985 en 1990. Sassicaia promoveerde in 1994 van Tos-caanse super-*vino da tavola* tot Bolgheri DOC.

Agronomist Alessandro Petri in de wijngaarden van Sassicaia.

SILVER OAK CELLARS

P.O Box 141, Oakville, Californië 94562, VS
Tel: (+1) 707 944 8808 Fax: (+1) 707 944 2817
Bezoekers: alleen op afspraak

*V*oor puur hedonistische genieters zijn de cabernet sauvignons van Silver Oak een klasse apart. Toen Justin Meyer in 1972 met het wijngoed begon, vlak bij het kruispunt van Oakville, centraal gelegen in de Napa Valley, was zijn streven weelderige, rijke wijnen te produceren die meteen gedronken kunnen worden zonder aan houdbaarheid in te boeten. Het is dan ook niet verwonderlijk dat tweederde van de wijnen van Silver Oak binnen Californië wordt verkocht, of dat 60% van de totale productie naar trendy restaurants in heel Amerika gaat.

EXTRA INFORMATIE

EIGENAARS: Justin en Bonny Meyer

WIJNMAKER: Justin Meyer

WIJNGAARD: 96 ha

PRODUCTIE: 40.000 dozen per jaar

DRUIVENSOORT: *cabernet sauvignon*

GEMIDDELDE LEEFTIJD WIJNSTOK-KEN: 25 jaar

PERCENTAGE NIEUW HOUT: 50% (Alexander Valley); 100% (Napa Valley)

AANBEVOLEN RECENTE WIJNJAREN: 1996, 1994, 1992, 1991, 1990

AANBEVOLEN COMBINATIES: hert en rood vlees

PLAATSELIJK RESTAURANT: Domaine Chandon, Napa

Hoewel Silver Oak in Napa gevestigd is, liggen de meeste wijngaarden (totaal zo'n 81 ha) in het oude North Coast-district in Alexander Valley. Onder de 15 ha land in Napa bevindt zich de kleine 'Bonny's vineyard', tegenover de wijnmakerij. Alle Silver Oak-wijnen worden gemaakt van 100% cabernet sauvignon. Het bijzondere is dat ze ook zonder het verzachtende effect van merlot nooit te hard zijn of te veel tannine bevatten. Justin denkt dat dit komt omdat de laat geoogste druiven zeer rijp zijn, de grond veel mineralen bevat en de eiken vaten uit Kentucky en Missouri komen.

De drie wijnen van Silver Oak hebben elk hun eigen karakter. Alexander Valley is het eerst rijp, heeft zachte smaken van zwart fruit en een vleugje Amerikaans eiken.

> **PROEFRAPPORT**
>
> **SILVER OAK
> CABERNET
> SAUVIGNON
> ALEXANDER
> VALLEY 1990**
>
> Gelijkmatig, donker, stralend robijnrood; levendig bouquet van zwarte bessen en kersen; zijdezacht in de mond, het weelderige fruit mengt zich met secundaire, 'wijnachtige' smaken en de discrete zoetheid van eiken. Rond en soepel, maar niet overdreven. Geweldig.
>
> Categorie ★★★★

De Napa is eleganter, met een grote bewaarcapaciteit. De Bonny's Vineyard is sterk geconcentreerd, maar omdat de opbrengst zo laag is, wordt hij sinds 1993 geleidelijk uit de productie genomen en in de assemblage van de Napa Cuvée verwerkt. Mocht u nog twijfelen aan de houdbaarheid van zulke verleidelijke wijnen: de 1974 Silver Oak Napa Cuvée is nog steeds vol leven en fruit, terwijl veel Californische cabernets uit dat fabelachtige jaar nu dood in het glas zijn. De 1990-ers van Silver Oak, zowel Alexander Valley als Napa Cuvée, zijn in het nieuwe millenium perfect op dronk; de 1992, 1994 en 1996 zijn echte bewaarwijnen.

BODEGAS VEGA SICILIA

Valbuena de Duero, Valladolid, Spanje
Niet toegankelijk voor publiek

*V*ega Sicilia is het traditioneelste en beroemdste wijngoed van Spanje en produceert de grootste, langst houdbare rode wijnen. De *bodega* werd in 1864 opgericht door Don Eloy Lecanda, een rijke Baskische landeigenaar. Bij een kweker uit Bordeaux kocht hij cabernet sauvignon-, merlot- en malbec-planten ter aanvulling van de plaatselijke ribera tempranillo en albillo, die al in de wijngaard stonden. Er is nu 162 ha aangeplant, genoeg voor zo'n 17.000 dozen per jaar, al is de familie Alvarez, sinds

EXTRA INFORMATIE

EIGENAAR: Pablo Alvarez
WIJNMAKER: familie Alvarez
WIJNGAARD: 162 ha
PRODUCTIE: 17.000 dozen per jaar
DRUIVENSOORTEN: 65% ribera tempranillo; 15% cabernet sauvignon; voor de rest malbec en albillo
GEMIDDELDE LEEFTIJD WIJNSTOKKEN: 35 jaar
PERCENTAGE NIEUW HOUT: geen (oude vaten)
AANBEVOLEN RECENTE WIJNJAREN: 1994, 1987, 1976
AANBEVOLEN COMBINATIES: wild-, rund- of varkensvleescasseroles op basis van wijn

PROEFRAPPORT
VEGA SICILIA GRAN RESERVA 1976

Nog jeugdig, diep robijnrood, fraaie diepte van zwarte kersen in geur en smaak; vlezig, vol, fluwelige textuur, eindeloze afdronk.

Categorie ★★★★★

1962 eigenaar van het wijngoed, van plan om de productie geleidelijk op te voeren tot 25.000 dozen. De opbrengsten van de klassieke wijnbouw en vinificatie zijn laag en de wijnen rijpen lang op het vat voor ze gebotteld worden.

De Valbuena 'vijfdejaars' reserva is de beste koop van het assortiment – kersenrood met een steenrode gloed, een rijp aroma van bosvruchten en een uitstekende balans tussen primair fruit, 'wijn'-smaken en eikenhout. De oude Vega Sicilia Unico Gran Reserva's zijn de wijnen waarop de indrukwekkende reputatie van deze *bodega* is gebaseerd. Ze worden nooit verkocht voor ze 10 jaar oud zijn en vaak zijn ze pas na 20 of 30 jaar op dronk. Deze wijnen hebben duidelijk de oxiderende invloed van eiken ondergaan, maar bezitten op hun leeftijd nog steeds een opmerkelijk krachtige, pure fruitsmaak. De 1976 (*zie* Proefrapport) is uitstekend; de geurige, weelderige 1970 en de massieve, geconcentreerde 1968 zijn uitmuntend. De allerbeste Vega Unico Special Reserva is een assemblage van zeer oude wijnen uit de jaren '50 en '60 en onbetaalbaar; ik heb er nog nooit een fles van geproefd, wat niet vreemd is, want al deze wijn gaat naar de privé-kelders van steenrijke Spanjaarden.

producenten VAN RODE WIJN

KWALITEITSWIJNEN

BAVA

Strada Monferrato 2, 14023 Cocconato d'Asti, Piemonte, Italië
Tel: (+39) 141 90 70 83 Fax: (+39) 141 90 70 85
Bezoekers: ma-vr 8.00-12.00 uur en 14.00-18.00 uur,
za 8.00-12.00 uur

*D*e hechte familie Bava maakt wijn in de traditionele wijnmakerij naast het station van het lieflijke, hooggelegen dorpje Cocconato in Piemonte. Weggestopt tussen Asti en de Alpen ligt hier de streek Monferrato, het thuisland van barbera, een van de bekendste blauwe wijndruiven van Noordwest-Italië. Deze schitterende soort met zijn volle smaak stond vroeger in de schaduw van nebbiolo, de beroemde druif voor Barolo. Begin jaren '80 begon Bava echter te experimenteren met een nieuw type

EXTRA INFORMATIE

EIGENAARS: familie Bava
WIJNMAKER: Paolo Bava
WIJNGAARD: 101 ha
PRODUCTIE: 50.000-80.000 dozen per jaar
DRUIVENSOORTEN: barbera, nebbiolo, dolcetto, malvasia nero, rucche
GEMIDDELDE LEEFTIJD WIJNSTOKKEN: 20 jaar
PERCENTAGE NIEUW HOUT: 100% voor de nieuwe generatie wijnen; oud Sloveens eiken voor Barolo
AANBEVOLEN RECENTE WIJNJAREN: 1994, 1993, 1991
AANBEVOLEN COMBINATIES: *fritto misto*, witte truffels, kruidenkaas
PLAATSELIJK RESTAURANT: Ristorante Cannon d'Oro, Cocconato

De wijngaarden van Bava in Cocconato, Piemonte.

kwaliteitswijnen van 100% barbera, gerijpt in *barriques*. De Bava's zien het als hun missie om de karakteristieke smaak van inheemse Piemontese druivensoorten meer bekendheid te geven. Behalve wijnmakers zijn ze ook geboren verkopers; ze organiseren klassieke en jazzconcerten in het dorp – precies wat je nodig hebt na een enorm bord *fritto misto* met een goed glas wijn in het uitstekende Ristorante Cannon d'Oro.

Stradivario, de beste barbera van Bava, is te herkennen aan de viool op het etiket en komt van druiven uit de Gura-wijngaard in Cocconato. Hij moet 12 maanden rijpen in nieuw Frans eiken (Allier) en een jaar op de fles voor hij op de markt komt. In het begin is de houtsmaak erg aanwezig, maar na voldoende rijping versmelt de smaak in de wijn. Voor

PROEFRAPPORT

STRADIVARIO
COLLEZIONE
QUINTETTO BAVA
1994

Jeugdige kleur, donker robijnrood in het glas. Gebrand
nieuw eiken in de neus gaat
samen met rijp, kruidig kersen-
fruit. Veel concentratie, een
vlezige, volle wijn.

Categorie ★★★

wie van minder houtige wijn houdt,
heeft Bava een traditionelere barbera, Arbest. Het belangrijkste verschil
is dat Arbest deels in grote, oude
vaten rijpt. Het bedrijf produceert
ook een elegante Ba-
rolo en heerlijke
rode wijnen en rosés
van inheemse soor-
ten, zoals rucche en
malvasia, een lekke-
re afwisseling op de
internationale caber-
net sauvignons.

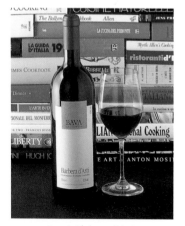

Bava's Barbera d'Asti.

DOMAINES BUNAN BANDOL

B.P. 17, 83740 La Cadière, Frankrijk
Tel: (+33) 4 94 98 58 98 Fax: (+33) 4 94 98 60 05
Bezoek: dagelijks 8.00-12.00 en 14.00-17.00

('s winters op zondag gesloten)

Hoog boven La Cadière d'Azur ligt Moulin des Costes, hoofdkwartier van Paul en Pierre Bunan, makers van Bandol, een van de beste rode wijnen van Frankrijk. De Bunans, sefarden uit Algerije, vluchtten in 1960 vanuit Noord-Afrika naar de Franse Riviera, waar ze een jaar later de Moulin en 18 ha wijngaard kochten. Ook kochten de broers het 21 ha grote Château de la Rouvière. Een derde wijngoed, Domaine de Belouve, bewerken ze op huurba-

EXTRA INFORMATIE

EIGENAAR: familie Bunan

WIJNMAKERS: Paul, Pierre en Laurent Bunan

WIJNGAARD: 81 ha

PRODUCTIE: 35.000 dozen per jaar

DRUIVENSOORTEN: 70% mourvèdre; 30% grenache

GEMIDDELDE LEEFTIJD WIJNSTOKKEN: 50 jaar (Château de la Rouvière); 35 jaar (Moulin des Costes)

PERCENTAGE NIEUW HOUT: geen (men gebruikt oude eikehouten vaten)

AANBEVOLEN RECENTE WIJNJAREN: 1996, 1995, 1993

AANBEVOLEN COMBINATIES: gegrilde brasem of mul (bij rode wijn)

PLAATSELIJKE RESTAURANTS: Le Relais de Mougins, Vence; Martinez, Cannes

sis voor de eigenaar. Laurent Bunan, de zoon van Paul, heeft aan het Lycée Viticole in Beaune gestudeerd en werkt nu fulltime in de *domaines*.

De rode wijn van Moulin des Costes is een sterke, maar soepele en mooi gemaakte Bandol (70% mourvèdre, 30% grenache). Ook is er een prachtige rosé. Ster van het assortiment is de speciale *cuvée*, die alleen in heel mooie wijnjaren verschijnt (1996, 1995, 1993) onder het etiket van Château de la Rouvière. Deze grootse wijn wordt van 50 jaar oude mourvèdrewijnstokken met lage opbrengst gemaakt en rijpt 2 jaar in grote, oude eiken vaten. Hij verdient het om 10 jaar bewaard te worden en in bijzonder gezelschap gedronken te worden.

PROEFRAPPORT

CHÂTEAU DE LA ROUVIÈRE 1993

Diep, geconcentreerd, maar stralend roodpaars; ferm, 'wijnachtig' bouquet met vleugje Provençaalse kruiden; compromisloos van smaak, overheersend sterke, scherpe tannineaccenten, maar als hij tot 2003 bewaard wordt, is hij spectaculair bij wild. Geproefd in november 1997.

Categorie ★★★★

CUVAISON

4550 Silverado Trail, P.O. Box 384, Calistoga, Californië 94515, VS
Tel: (+1) 707 942 6266 Fax: (+1) 707 942 5732
Bezoek: dagelijks 10.00- 17.00 uur (behalve op feestdagen)

*C*uvaison, gelegen aan de Silverado Trail in het noordelijk deel van Napa Valley, is er gestaag op vooruitgegaan sinds John Thacher in 1982 werd aangesteld als wijnmaker. De troef van deze wijnmakerij is de uitstekende, 117 ha grote wijngaard in de koele Carneros-streek, die John met voortreffelijk vakmanschap weet te benutten.

Circa 70% van de wijngaard is beplant met chardonnay die een uitstekende, vatgerijpte wijn voortbrengt. John maakt

EXTRA INFORMATIE

EIGENAARS: familie Schmidheiny
WIJNMAKER: John Thacher
WIJNGAARD: 117 ha
PRODUCTIE: 60.000 dozen per jaar
DRUIVENSOORTEN: 70% chardonnay; 20% merlot; 10% pinot noir
GEMIDDELDE LEEFTIJD WIJNSTOKKEN: 6 jaar
PERCENTAGE NIEUW HOUT: 50-70%
AANBEVOLEN RECENT WIJNJAAR: 1995
AANBEVOLEN COMBINATIES: varkenshaas, lamsbout en zwaardvis
PLAATSELIJK RESTAURANT: Tra Vigne, Calistoga

ook een heerlijke merlot. De echte 'juweeltjes' zijn echter de twee pinot noirs die door John worden overladen met tedere zorg. Hij laat de wijnen gisten in kleine, roestvrijstalen vaten om het proces beter in de hand te houden en filtert ze niet, uit angst het aromatische potentieel en de smaaknuances te verliezen. De Carneros is sensueel, vol maar evenwichtig, en het

PROEFRAPPORT

CUVAISON ERIS
PINOT NOIR 1995

Rijke, robijnrode pinot-kleur; aangenaam nieuw eiken in de neus, de sleutelwoorden zijn finesse en subtiliteit; accenten van wilde aardbeien en rode bessen met een vleugje vanille. Soepel en zijdezacht; een van de beste Amerikaanse pinot noirs.

Categorie ★★★★

aroma van teer en vanille gaat over in een rijke, vrij complexe bessensmaak. De Eris is subtieler en minder houtig – op elk uur van de dag een waar genot, met of zonder iets te eten erbij.

CHÂTEAU D'ANGLUDET

33460 Margaux, Frankrijk
Tel: (+33) 5 57 88 71 41 Fax: (+33) 5 57 88 72 52
Bezoekers: alleen op afspraak

$\mathcal{D}$e wijngaard van Château d'Angludet ligt in de uiterste zuidwest-hoek van de *appellation* Margaux, op het grindplateau Le Grand Poujeaux. Deze bodem geeft de wijn zijn stugge karakter en lange levensverwachting. Het gerieflijke huis werd bewoond door Peter A. Sichel, makelaar en president van de *Union des Grands Cru's*, tot aan zijn dood in 1998. Peter kocht het vervallen wijngoed in 1961 samen met zijn vrouw Diana Heathcote-Amory. Zijn zoons, Charles en Benjamin, zijn nu respectievelijk manager en wijnmaker van het wijngoed. De

EXTRA INFORMATIE

EIGENAAR: familie Sichel
WIJNMAKER: Benjamin Sichel
WIJNGAARD: 34,5 ha
PRODUCTIE: 10.500 dozen per jaar
DRUIVENSOORTEN: 55% cabernet sauvignon; 35% merlot; 5% cabernet franc; 5% petit verdot
GEMIDDELDE LEEFTIJD WIJNSTOKKEN: 28 jaar
PERCENTAGE NIEUW HOUT: 35-50%, afhankelijk van wijnjaar
AANBEVOLEN RECENTE WIJNJAREN: 1996, 1995
AANBEVOLEN COMBINATIES: gegrild rood of wit vlees, *Lamproie à la Bordelaise*
PLAATSELIJKE RESTAURANTS: La Pavillonde Margaux, Le Lion d'r, Arcins

wijnbouw en vinificatie gebeurt deels volgens oude en
deels volgens moderne methoden. De druiven worden
machinaal geoogst en gisten
zo'n 10 dagen in met plastic
beklede betonnen vaten. Voor
het bottelen rijpt de wijn
14 maanden in *barriques* van
221 l (Nevers en Allier).

PROEFRAPPORT

CHÂTEAU
D'ANGLUDET 1994

Mooi, diep paarsrood; gulle,
geurige accenten van klein,
zwart fruit; uitstekende, rijpe
tanninestructuur, fraai in balans
met klassieke cabernet-smaak.
Drinken van 1999 tot 2004.
Een geslaagde 1994.

Categorie ★★★

Het nut van de complete
herbeplanting van de wijn-
gaard bleek uit de schitterende 1983, de klassieke 1986 met
lange afdronk en de weelderige 1989. Naarmate de wijnstokken in de jaren '90 ouder werden, begonnen de wijnen steeds
meer de verfijnde, weelderige aroma's te vertonen die men
associeert met de beste Margaux-wijnen. De redelijk geprijsde
D'Angludet is een uitstekende bordeaux. Peter Sichel was vaak
een van de weinigen die zich niet gek liet maken door de dol-
gedraaide, speculatieve bordeaux-wereld van eind jaren '90.
Hij vreesde dat de torenhoge prijzen die de geclassificeerde *châteaux* in de *en primeur*-campagne van 1996 opbrachten, een
negatieve uitwerking zouden hebben op de toekomst van bordeaux-wijnen. Dit was eerder in 1991-1994 en in 1974
gebeurd. Met hem hebben we een bijzonder man verloren.

De eendenvijver van Château d'Angludet.

MARQUÉS DE GRIÑÓN

Hoofdkantoor: c/Alfonso XI no. 12, 28014 Madrid, Spanje
Tel: (+34) 91 531 06 09 Fax: (+34) 91 531 06 78
*Bezoek aan Dominio de Valdepusa, Pusa-vallei, Toledo:
op afspraak*

*C*arlos Falcó, markies van Griñón, is een van de pioniers van de modernisering van de wijnbouw en -makerij in Spanje. Na zijn studie landbouwkunde aan de universiteit van Leuven in België en aan Davis in Californië, introduceerde hij in 1974 de cabernet sauvignon en merlot in Spanje. Deze soorten werden gevolgd door chardonnay, petit verdot en syrah. Falcó behoort tot een van de oudste families van Spanje. Zijn familie en titel zijn al sinds 1292 verbonden met het Dominio de Valdepusa in de provincie Toledo.

In Valdepusa, 56 km van Toledo, heeft Falcó een productieve wijngaard van 50,5 ha, voor het grootste deel

EXTRA INFORMATIE

EIGENAAR: Carlos Falcó, markies van Griñón

WIJNMAKER: Carlos Falcó

WIJNGAARD: 50,5 ha

PRODUCTIE: 8500 dozen per jaar

DRUIVENSOORTEN: cabernet sauvignon, merlot

PERCENTAGE NIEUW HOUT: varieert per wijnjaar

AANBEVOLEN RECENT WIJNJAAR: 1994

AANBEVOLEN COMBINATIES: gebraden Castiliaans speenvarken

beplant met cabernet sauvignon. De Marqués de Griñón Cabernet Reserva bevat 10% merlot. Beide soorten zijn gemiddeld 20 jaar oud. Na de gisting in roestvrij staal rijpt de wijn 18-24 maanden in Frans eiken. In samenwerking met de Berberana-groep maakt Falcó nu ook een rioja van tempranillo-druiven van zeer oude wijnstokken, onder het etiket Marqués de Griñón Reserva, colección personal.

Carlos Falcó, markies van Griñón, geniet van een van zijn heerlijke wijnen.

Enkele wijnen uit het brede assortiment van
Marqués de Griñón.

CHÂTEAU DE LAMARQUE

33460 Lamarque, Frankrijk
Tel: (+33) 5 56 58 90 03 Fax: (+33) 5 56 58 93 43
*Bezoek: ma-vr 9.30-12.00 en
14.00-17.00 uur*

*H*et oude wijngoed Lamarque dankt zijn naam aan het feit dat het vroeger een fort was ter verdediging van de Médoc tegen de vikingen die langs de Gironde oprukten. Rond het primitieve fort werd in de 14e eeuw een kasteel met verdedigingstorens, versterkte muren en kantelen gebouwd, dat nog steeds bestaat. In 1841 werd het landgoed gekocht door graaf De Funel, een nakomeling van een oude familie uit Quercy, en zijn achter-achter-kleinzoon, Pierre-Gilles Gromond-Brunet d'Évry, is nu verantwoordelijk voor de wijnproductie.

EXTRA INFORMATIE

EIGENAAR: Pierre-Gilles Gromond d'Évry

WIJNMAKER: Jacques Boissenot

WIJNGAARD: 50,5 ha

PRODUCTIE: 25.000 dozen per jaar

DRUIVENSOORTEN: cabernet sauvignon, merlot, cabernet franc, petit verdot

GEMIDDELDE LEEFTIJD WIJNSTOKKEN: 28 jaar

PERCENTAGE NIEUW HOUT: 65%

AANBEVOLEN RECENTE WIJNJAREN: 1996, 1995

AANBEVOLEN COMBINATIES: gebraden vlees, kip, paddestoelen, kaas

PLAATSELIJK RESTAURANT: Le Lion d'Or, Areins

Pierre-Gilles Gromond beweegt zich even gemakkelijk in het hightech-milieu van Frankrijk als dat van Bordeaux. Hij is president van de machtige Gromond d'Évry-groep van ingenieursbedrijven. Zij hebben de complete renovatie van zijn wijngaarden en wijnmakerij gefinancierd. Lamarque is nu een van de allerbeste *cru bourgeois* van de Médoc; de voortreffelijke, klassieke bordeauxwijnen kunnen zich meten met de allerbeste.

> ### PROEFRAPPORT
> #### CHÂTEAU DE LAMARQUE 1995
> Memorabele wijn, in 1995 gedronken uit een magnum. Donker robijnrood, met minimale, granaatrode verkleuring aan de rand; weelderig en vol van geur en smaak, met alle vruchten van een warme zomer, maar wel in een fraaie, klassieke structuur; lange, mineraalrijke afdronk. Heerlijk.
> Categorie ★★★★

De volledig gerijpte druiven worden per soort en per wijngaard geplukt. De vinificatie gebeurt al 25 jaar onder leiding van professor Émile Peynaud en zijn protégé Jacques Boissenot, een getalenteerd oenoloog. Elke druivensoort gist apart gedurende zo'n 21 dagen, waarbij de temperatuur streng gecontroleerd wordt en de hoed van gistende schillen constant omlaag wordt geduwd. Alle wijn rijpt 18-20 maanden in eiken vaten (Allier). Gewoonlijk gebruikt men voor tweederde deel nieuw hout en voor eenderde deel vaten van 1 jaar oud. De 1985, 10 jaar later uit magnums gedronken, is een spectaculaire wijn met alle vlezigheid en charme van dat jaar, gecombineerd met een enorme diepgang, die eerder aan een 1982 of 1961 doet denken. Ook de 1996 is veelbelovend. Onovertroffen kwaliteit voor een redelijke prijs.

Het 14e-eeuwse Château de Lamarque.

DOMAINE DE LA POUSSE D'OR

Rue de la Chapelle, 21190 Volnay, Frankrijk
Tel: (+33) 3 80 21 61 33 Fax: (+33) 3 80 21 29 97
Bezoekers: op afspraak

*D*e komst van Gérard Potel naar dit oude *domaine* in 1964 was als een frisse bries. Deze voormalige boer uit de Aisne had geen vastgeroeste ideeën over wijnbereiding en werd al snel de dappere aanvoerder in de strijd om een betere rode bourgogne. Hij was bijvoorbeeld een van de eerste wijnbouwers die slechte druiven bij de oogst weggooide, waarmee hij de hoge kwaliteit van zijn op het *domaine* gebottelde flessen waarborgde. Nu, eind van de 20e eeuw, is zijn modelwijngoed een van de betrouwbaarste leveranciers van fantas-

EXTRA INFORMATIE

EIGENAAR: SCA Domaine de la Pousse d'Or

WIJNMAKER: Gérard Potel

WIJNGAARD: 13 ha

PRODUCTIE: 6000 dozen per jaar

DRUIVENSOORT: pinot noir

GEMIDDELDE LEEFTIJD WIJNSTOKKEN: 25 jaar

PERCENTAGE NIEUW HOUT: 33-50%, afhankelijk van wijnjaar

AANBEVOLEN RECENTE WIJNJAREN: 1996, 1995, 1993, 1991

AANBEVOLEN COMBINATIES: *caneton aux cerises*; licht bestorven wild

PLAATSELIJK RESTAURANT: Ma Cuisine, Beaune

VOLNAY IER CRU
LES CAILLERETS
APPELLATION VOLNAY CONTRÔLÉE
1991
SOCIÉTÉ CIVILE DU DOMAINE DE
LA POUSSE D'OR
PROPRIÉTAIRE
A VOLNAY (COTE-D'OR) FRANCE
GÉRANT G. POTEL

tische Volnay. Tot het *domaine* behoren enkele van de mooiste plekjes in de omgeving, waaronder een groot deel van Les Caillerets, inclusief het monopolie Clos des 60 Ouvrées. Gérard woont in een schitterend huis tegen een helling met diepe, koele kelders en een terras vol bloemen dat over de wijngaarden uitkijkt.

> ## PROEFRAPPORT
> ### VOLNAY CLOS DES 60 OUVRÉES 1991
> Prachtig heldere kleur met vleugje vermiljoen; sterke Volnay-aroma's; teer maar aanwezig; geconcentreerd, maar niet te veel extract of hout; zijdezachte afdronk van de hoogste klasse. *Grand vin.*
> Categorie ★★★★

Het geheim van de uitzonderlijke kwaliteit van deze wijnen zit in de respectvolle behandeling van de druiven, ondersteund door de modernste technieken. Gérard experimenteert bijvoorbeeld met een *Durafroid*-machine die een teveel aan water op de druiven verdampt. Hij voorkomt hiermee dat de druiven in natte jaren te zuur worden. Met deze aandacht voor details bereikt hij elk wijnjaar een goede opbrengst. Het *domaine* staat dan ook bekend om zijn goede wijnen in 'slechte' wijnjaren... Goede wijnjaren zoals 1996 en 1993 zijn voortreffelijk – het toonbeeld van fluwelige elegantie en stevige structuur.

Net als veel progressieve wijnmakers uit de Côte hield ook Gérard de Nieuwe Wereld nauwlettend in de gaten. Hij ging zelfs een samenwerkingsverband aan met een bedrijf in West-Australië, om daar in het veel warmere klimaat de pinot noir te gaan verbouwen. Helaas stierf Gérard in 1997 vlak na de oogst.

Gérard Potels pittoreske huis op het wijngoed in Volnay.

CHÂTEAU DE PEZ

33180 St.-Estèphe, Frankrijk
Tel: (+33) 5 56 59 30 26
Bezoekers: alleen op afspraak

*H*et Domaine de Pez is opgericht in de 15e eeuw en daarmee een van de twee oudste wijngoederen in St.-Estèphe. De familie Pontac (*zie aldaar*), die ook Haut-Brion oprichtte, legde de wijngaard in 1750 aan. Dit is een van de allerbeste *cru bourgeois* van de Médoc. De wijnen hebben een hoge kwaliteit – klassiek, vol en lang houdbaar. De fantastische 1970 overtrof een Château Latour 1967 tijdens een *Ban de Vendange*-diner in 1992. Daarna volgde een reeks vrij kleurloze wijnen, behalve de uitstekende 1986 met sterke cabernet-accenten. In 1995 werden *château* en wijngaard

EXTRA INFORMATIE

EIGENAAR: Champagne Louis Roederer

WIJNMAKER: Jean-Baptiste Lecaillon

WIJNGAARD: 24 ha

PRODUCTIE: 12.000 dozen per jaar

DRUIVENSOORTEN: 45% cabernet sauvignon; 8% merlot; 3% cabernet franc; 3% petit verdot

GEMIDDELDE LEEFTIJD WIJNSTOKKEN: meer dan 30 jaar

PERCENTAGE NIEUW HOUT: 40%

AANBEVOLEN RECENT WIJNJAAR: 1996

AANBEVOLEN COMBINATIES: vlees, wild

PLAATELIJK HOTEL-RESTAURANT: Château Cordeillan Bages, Pauillac

PROEFRAPPORT

CHÂTEAU DE PEZ
1994

Robijnrood met paarse gloed; mooie, intense neus, rijp rood fruit, een vleugje geroosterd brood; elegant maar vol van smaak met goede concentratie en een zacht tanninegehalte, voelt zijdezacht aan.

Categorie ★★★

gekocht door Champagne Louis Roederer en gezien de grote bedragen die aan de modernisering van de wijnmakerij worden besteed, mogen we een terugkeer naar de top verwachten.

De wijngaard ligt op een hoog plateau met kale hellingen. De bodem bestaat uit grind uit het vroege Pleistoceen op een onderlaag van kalk en klei; met name de klei geeft de wijn zijn kracht. De gisting in oude, open eikenhouten vaten duurt 21 dagen. De wijn wordt in december gemengd en in tonnen (40% nieuw hout) opgeslagen en om de 3 maanden afgeheveld. Na ongeveer een jaar, halverwege de vatrijping, wordt de wijn geklaard met eiwit. Hij wordt niet gefilterd. Een klassieke De Pez is diep van kleur met een rijke, compacte smaak die na rijping beter wordt. De wijnen uit grote jaren zijn meestal pas na 12-15 jaar op hun hoogtepunt.

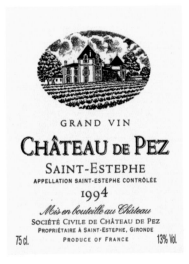

CHÂTEAU DES JACQUES, MOULIN À VENT

71570 Romanèche-Thorins, Frankrijk
Tel: (+33) 3 80 20 19 57 Fax: (+33) 3 80 22 56 03
Bezoekers: alleen op afspraak

*D*e topwijnen (*cru's*) uit de noordelijke Beaujolais zijn een beetje uit de mode geraakt, omdat ze geassocieerd worden met de saaie Beaujolais Primeur. Dit geldt met name voor Moulin-à-Vent, waar de bruine, mangaanrijke grond een donkere, goed gestructureerde wijn kan opleveren die niet onderdoet voor een goede bourgogne. Alles wat ervoor nodig is, is een traditionele bereiding en het geduld om de wijnen goed te laten rijpen. Château des Jacques is al jaren het toonaangevende wijngoed van Moulin-à-Vent en werkt geheel volgens traditionele methoden. Toen

EXTRA INFORMATIE

EIGENAAR: Maison Louis Jadot
WIJNMAKER: Pierre de Boissieu
WIJNGAARD: 36,5 ha
PRODUCTIE: 30.000 dozen per jaar
DRUIVENSOORT: gamay noir
GEMIDDELDE LEEFTIJD WIJNSTOK-KEN: 35 jaar
PERCENTAGE NIEUW HOUT: 50%
AANBEVOLEN RECENTE WIJNJAREN: 1996, 1995
AANBEVOLEN COMBINATIES: orgaan-vlees, met name niertjes; koemelkkazen
PLAATSELIJK HOTEL-RESTAURANT: Les Maritonnes, Romaneche-Thorins

het wijngoed, lange tijd in bezit van de familie Thorin, in januari 1997 werd verkocht, kwam het in handen van het vooraanstaande wijnhuis Louis Jardot uit Beaune.

De nieuwe eigenaars bezitten 27 ha land in de *appellation* Moulin-à-Vent en verbouwen 9 ha witte druiven die verwerkt worden tot een wijn met het etiket Beaujolais of Macon Blanc. Bedrijfsleider en wijnmaker Pierre de Boissieu is bezig de

> **PROEFRAPPORT**
>
> CHÂTEAU DES JACQUES, ROCHEGRES 1996
>
> Afkomstig van de hoogste wijngaard in de *appellation* (Chenas); donker, vol, robijnrood, boordevol rijpe tannine en zuren, maar met veel fruit, zeker niet dun. Zeer lange afdronk. Uitstekend. Bewaren en drinken van 2000-2005.
>
> Categorie ★★★★

verwerking van de blauwe druiven te veranderen; bij 80% van de druiven verwijdert hij de steeltjes (uniek in Beaujolais), 20% behoudt de steeltjes om de gisting te vergemakkelijken. De traditionele gisting duurt 14-21 dagen, waarbij het sap regelmatig wordt rondgepompt bij een temperatuur van 32 °C om de schillen vochtig te houden en de ontwikkeling van tannine te bevorderen. Interessant is dat de rode wijnen van enkele wijngaarden binnen het wijngoed apart worden verwerkt in kleine eiken *barriques*. Het wijnassortiment bestaat dus uit zes *cuvées*, genoemd naar de plek van herkomst, plus een naamloze Château des Jacques, afkomstig van druiven uit meerdere wijngaarden.

In september 1997, tijdens een proeverij van het uitstekende wijnjaar 1996, bleek duidelijk hoe verschillend de wijnen uit de verschillende wijngaarden zijn. De donkerrode *Les Thorins* is middelzwaar, soepel, vlezig, zeer Bourgondisch; de heerlijke *Le Champ de Coeur* met haar lange afdronk heeft tijd nodig; de zeer geurige (viooltjes) en ontwikkelde *Grand Carquelin* is de meest typische beaujolais; *La Roche* is een heel pure gamaywijn met accenten van wilde paddestoelen en een discreet vleugje vanille. De allergrootste, *Rochegres* (*zie* Proefrapport) is er echt een om lang te bewaren. Deze wijnen hebben allemaal een goede kwaliteit voor een betaalbare prijs.

A. & P. DE VILLAINE

*A*ubert de Villaine is het bekendst als mede-eigenaar en fulltime directeur van Domaine de la Romanée-Conti, het beroemdste Bourgondische wijngoed. De Villaine is een van de echte *gentlemen* van de wijnhandel, altijd bereid om volledige, eerlijke antwoorden te geven op de eindeloze vragen die de wijnpers uit de hele wereld op hem afvuurt. Het is typerend dat hij met zijn Amerikaanse vrouw Pauline in Bouzeron woont, een stil dorpje in het Bourgondische achterland, 10 minuten rijden van het slaperige stadje Chagny.

EXTRA INFORMATIE

EIGENAAR: A. & P. de Villaine
WIJNMAKER: Aubert de Villaine
WIJNGAARD: 20 ha
PRODUCTIE: 12.000 dozen per jaar
DRUIVENSOORT: pinot noir (La Digoine)
GEMIDDELDE LEEFTIJD WIJNSTOKKEN: 20 jaar
PERCENTAGE NIEUW HOUT: 10-15%
AANBEVOLEN RECENTE WIJNJAREN: 1996, 1995, 1993, 1990
AANBEVOLEN COMBINATIES: gebraden duif, rood vlees
PLAATSELIJKE RESTAURANTS: Lameloise, Chagny; Hostêllerie du Val d'Or, Mercurey

Bouzeron is bekend om zijn aligoté. Op de zuidoostelijke kalksteen-kleihellingen boven het dorp wordt dit 'werkpaard'

PROEFRAPPORT

BOURGOGNE ROUGE LA DIGOINE 1995

Elegant helderrood, klassieke jonge pinot noir-kleur; aroma van wilde frambozen, erg mooi; prachtig, puur fruit met een afdronk van aarde, paddestoelen en, jawel, truffels. Veel klasse voor weinig geld.

Categorie ★★★★

onder de druiven omgetoverd tot een mooie, leisteenachtige, droge, lichte witte wijn die jong gedronken wordt. De Villaine maakt de beste aligoté van het dorp. Toch is zijn rode La Digoine Bourgogne nog opmerkelijker.

Deze 100% pinot noir wordt gemaakt met dezelfde perfectionistische zorg als zijn *grand cru's* van DRC. De wijnbouw gebeurt sinds 10 jaar geheel organisch; de enige bemesting die gebruikt wordt, is compost, bestrijdingsmiddelen zijn uit den boze. De druiven worden handmatig geplukt, de gisting in open vaten duurt 12-15 dagen, waarna de wijnen in 10-15% nieuwe houten vaten rijpen. De Villaine vertelde me eens dat hij een smaak van frambozen en truffels in La Digoine ontdekte. Hij heeft alle aroma, fruit en finesse van Bourgondische pinot noir weten te vangen in een fles die nog geen *f* 30,- kost, een hele prestatie.

DOMAINE DROUHIN, OREGON

Breyman Orchards Road, Dundee, Oregon 97115, VS
Tel: (+1) 503 864 2700 Fax: (+1) 503 864 3372
Bezoekers: alleen op afspraak

*S*inds het Domaine Drouhin in 1988 zijn eerste wijn uitbracht, wordt het bejubeld als toonaangevend pinot noir-producent in Oregon. De wijn dankt zijn constant hoge kwaliteit vooral aan Véronique Drouhin, de wijnmaakster, die haar technische vakmanschap paart aan een gedegen kennis van de klassieke, Franse wijntraditie.

Véronique, in 1962 geboren op de dag van *Hospice de Beaune Sale*, is de dochter van Robert Drouhin, de befaamde bourgogne-handelaar en wijngoedbezitter (*zie* Maison Joseph Drouhin). Na haar studie oenologie liep Véronique stage op Château Fieuzal in het Pessac-Léognan (Graves)-district van Bor-

EXTRA INFORMATIE

EIGENAAR: Robert Drouhin
WIJNMAKER: Véronique Drouhin
OPPERVLAK WIJNGAARD: 73 ha
PRODUCTIE: 10.000 dozen per jaar
DRUIVENSOORT: 100% pinot noir
GEMIDDELDE LEEFTIJD WIJNSTOKKEN: 9 jaar
PERCENTAGE NIEUW HOUT: 20%
AANBEVOLEN RECENT WIJNJAAR: 1993
AANBEVOLEN COMBINATIES: kip, lams- en rundvlees; zalm is er ook heerlijk bij

deaux. In 1987 ging ze voor Maison Drouhin werken en raakte ze nauw betrokken bij de vinificatie en het dagelijkse proeven van nieuwe en oude wijnen. Voor haar studie had Véronique een speciale analyse van het wijnmaken aan de noordwestkust van de Stille Oceaan gemaakt, dus toen Robert Drouhin besloot zijn eerste en enige wijngoed buiten de Bourgogne op te zetten, werd Oregon uitgekozen.

Het wijngoed ligt op een zuidelijke helling in de Red Hills van de Willamette Valley, 48 km ten zuidwesten van Portland. Vanaf het begin hebben de Drouhins hun nieuwe pinot-'kindje' met dezelfde zorg omringd als de druiven en de wijn voor hun grootste rode bourgognes. De druiven worden handmatig geplukt in kleine hoeveelheden van 50 kg, de gisting gebeurt op natuurlijke wijze met behulp van inheemse gisten en de hoed wordt traditioneel omlaag geduwd, zodat een volle, maar goed gedoseerde wijn ontstaat. De zwaartekracht –het wijngoed ligt op een heuvel– wordt optimaal benut bij het afhevelen van de jonge wijn, zodat het aroma bewaard blijft. Men gebruikt nooit meer dan 20% nieuw hout, zodat het overheerlijke pinot noir-fruit niet wordt over-

> ### PROEFRAPPORT
> #### DOMAINE DROUHIN OREGON PINOT NOIR 1994
> Stralend, elegant robijn-vermiljoenrood; pure kersensmaak, een vleugje vanille; zijdezacht, goed gedefinieerde smaak, lange afdronk. Vlekkeloos.
>
> Categorie ★★★

Véronique Drouhin, wijnmaakster van Domaine Drouhin.

Het prachtige uitzicht op de wijngaarden van
Domaine Drouhin.

vleugeld door een eikensmaak. Het Domaine produceert
meestal twee wijnen per jaar: de DD Oregon Pinot Noir, sterk
van structuur en smaak, met accenten van puur fruit en een zijdezachte textuur, bedoeld om jong te drinken, en de DD Oregon Laurene Pinot Noir, genoemd naar Véroniques oudste
dochter, een complexe, volle bewaarwijn. Van de negen wijnjaren die ze gehad hebben, vinden de Drouhins 1993 het beste.

GEORGES DUBOEUF

B.P. 12 71570 Romaneche-Thorins, Frankrijk
Tel: (+33) 3 85 35 34 20 Fax: (+33) 3 85 35 34 20
*Bezoekers: Le Hameau du Vin (wijnmuseum en park),
dagelijks geopend tijdens kantooruren*

*A*lle kleintjes worden groot. Georges Duboeuf is de grootste wijnhandelaar van beaujolais; zijn firma verkoopt nu 15% van alle wijn uit de streek over de hele wereld en dat alles heeft hij in slechts 30 jaar tijd bereikt. Als student lichamelijke opvoeding in Parijs in de jaren '50 kreeg George er genoeg van om elke dag met de metro naar de gymzaal te moeten. Hij besloot terug te gaan naar het kleine wijngoed van zijn familie in Pouilly Fuisse, vlak bij Macon. Hij begon bescheiden, maar kreeg geleidelijk een serieuze clientèle die bestond

EXTRA INFORMATIE

EIGENAAR: Les Vins Georges Duboeuf

WIJNMAKERS: Georges en Franck Duboeuf

WIJNGAARD: 73 ha

PRODUCTIE: 1 miljoen dozen per jaar

DRUIVENSOORT: gamay

EXLUSIEF LEVERANCIER VAN: Fleurie Domaine des Quatre Vents

GEMIDDELDE LEEFTIJD WIJNSTOKKEN: 30 jaar

PERCENTAGE NIEUW HOUT: 10-20

AANBEVOLEN RECENTE WIJNJAREN: 1996, 1995

AANBEVOLEN COMBINATIES: *charcuterie*, orgaanvlees en roomkaas

PLAATSELIJK RESTAURANT: Les Maritonnes, Romanèche-Thorins

uit restaurants uit de *Guide Michelin*. Begin jaren '60 begon hij met Paul Bocuse en Alexis Lichine een bedrijf ter promotie van de wijnen van Beaujolais en Macon, maar de wijnbouwers werden het niet eens over de strategie en in 1964 richtte Georges in Chanes zijn eigen bedrijf op, Les Vins Georges Duboeuf.

George is een geboren verkoper en wist de wereldmarkt duidelijk te maken dat echte beaujolais-wijnen overheerlijk kunnen zijn – fris met bloemen en zonder een spoortje bitterheid. Zijn succes is gebaseerd op redelijke prijzen, een voortreffelijke presentatie en de beste moderne vinificatietechnieken. Georges is een workaholic die elke ochtend om half 6 opstaat en om 6 uur in zijn kantoor zit. Hij en zijn zoon Franck proeven meer dan 7000 wijnen per jaar van 300 beaujolais-wijnbouwers. En wat jaloerse concurrenten ook mogen beweren, alle geselecteerde wijnen die het Georges Duboeuf-etiket dragen, zijn een waardig product van dorp en *appellation*. De wijnboeren hebben veel vertrouwen in Georges en handelen al vanaf het begin met hem zonder contracten.

Realist als hij is, zag Georges al gauw dat de Beaujolais Primeur, die de streek in de jaren '70 en '80 welvaart bracht, ook een vloek kan zijn. Hebberige wijnbouwers werden aangemoedigd tot overproductie en tastten zo de reputatie aan van een van de beroemde *cru's* uit dit gebied. In de jaren '90 breidde het bedrijf zich uit met de aankoop van een wijngaard in het noordelijke Rhône-gebied bij Côte Rôtie en een tweede in de aangrenzende Ardèche, waar een heerlijke Viognier *blanc* wordt gemaakt.

> ### PROEFRAPPORT
> ### FLEURIE DOMAINE DES QUATRE VENTS 1996
> Fris paarsrood, bouquet van bloemetjes, typerend voor Fleurie; zijdezacht, bevat puur gamay-fruit. Goede zuurheid. Ontwikkelt zich nog tot 1999.
>
> Categorie ★★★

Georges Duboeuf,
de 'koning van de beaujolais'.

CLOS DU VAL

5330 Silverado Trail, P.O. Box 4350,
Napa, Californië 94558, VS
Tel: (+1) 707 259 2231 Fax: (+1) 707 252 6125
Bezoekers: op afspraak

De wijnmakerij in Stag's Leap, opgericht in 1972, kreeg al snel een goede naam vanwege de hoge kwaliteit van haar cabernet sauvignon-wijnen. Vanaf het begin bewees Clos du Val dat balans in een goede wijn belangrijker is dan kracht en het volle Napa-fruit gaat in deze cabernets altijd samen met een elegante, Franse terughoudendheid. Geen wonder, want drijvende kracht, oprichter, wijnmaker én manager van het bedrijf is Bernard Portet, een Fransman die is opgegroeid in Bordeaux, waar zijn vader technisch directeur was van Château Lafite-Rothschild.

EXTRA INFORMATIE

EIGENAAR: Clos du Val Wine Co. Ltd.
WIJNMAKER EN MANAGER: Bernard M. Portet
WIJNGAARD: 162 ha
PRODUCTIE: 80.000 dozen per jaar
DRUIVENSOORT: cabernet sauvignon
GEMIDDELDE LEEFTIJD WIJNSTOKKEN: 15 jaar
PERCENTAGE NIEUW HOUT: 50% of meer, afhankelijk van wijnjaar
AANBEVOLEN RECENTE WIJNJAREN: 1996, 1994, 1992, 1191
AANBEVOLEN COMBINATIES: gebraden lams- of varkensvlees
PLAATSELIJKE RESTAURANTS: Napa Valley Grill & Bistro, Don Giovanni

De Clos du Val Cabernet Reserve is nog altijd een van de grootste rode wijnen van Californië. Hij is langer houdbaar is dan de meeste andere door de kwaliteit en structuur van de geselecteerde druiven van Stag's Leap en de slimme toevoeging van een beetje merlot aan de cabernet, zodat de wijn tot op hoge leeftijd fruitig blijft. Als u de Reserve 1987 ooit tegenkomt op een veiling, sla dan meteen toe, mits u zeker weet dat de wijn in goede conditie is en

PROEFRAPPORT

CLOS DE VAL
CABERNET
SAUVIGNON
RESERVE 1993

Donker, stralend robijnrood, zonder te veel extract; gulle, rijke aroma's van zwarte bessen, die al net zo gul terugkomen in de smaak, maar met mooie, subtiele reserve; goede, iets terughoudende zuurheid. Stijlvolle wijn voor 1999/2000.

Categorie ★★★

goed is bewaard.

De wijnen van 1990-1996 zijn uitstekend. Voor wie moet kiezen: het rijke tanninegehalte van de Cabernet Reserve 1996 verzekert hem van een lang leven, terwijl de 1991, die van een uitzonderlijk lang groeiseizoen kon profiteren, bijzonder verfijnd is. Zelf ben ik erg te spreken over de 1993 (*zie* Proefrapport).

Bernard M. Porter, president en wijnmaker.

Clos du Val produceert ook uitstekende chardonnays en zeer goede zinfandels. De pinot noir is erg fraai en goed van structuur.

FAIRVIEW

P.O. Box 583, Paarl 7824, Zuid-Afrika
Tel: (+27) 21 863 2450 Fax: (+27) 21 863 2591
*Bezoekers: ma-vr 8.00-17.00 uur,
za 8.30-13.00 uur*

*F*airview is een van de mooiste landgoederen van de Kaap-provincie, met een schitterend uitzicht op de Tafelberg. Het land werd in 1693 toegekend aan Simon van der Stel. De boerderij wisselde regelmatig van eigenaar tot aan 1936, toen ze werd gekocht door de grootvader van Charles Back, die vanuit Oost-Europa naar Zuid-Afrika was gekomen.

Er werd hier al geruime tijd wijn gemaakt. Het schijnt dat een plaatselijke dokter wijn van deze boerderij voorschreef aan zieke kinderen. Inmiddels worden de wijnen van Fairview niet

EXTRA INFORMATIE

EIGENAAR: familie Back
WIJNMAKER: Charles Back
WIJNGAARD: 167 ha
PRODUCTIE: 100.000 dozen per jaar
DRUIVENSOORTEN: shiraz, pinot noir, pinotage (belangrijkste blauwe soorten)
GEMIDDELDE LEEFTIJD WIJNSTOK-KEN: 15 jaar
PERCENTAGE NIEUW HOUT: 30% of meer
AANBEVOLEN RECENTE WIJNJAAR: 1993
AANBEVOLEN COMBINATIES: gebarbecued lams- en rundvlees, sterke kazen
PLAATSELIJK HOTEL-RESTAURANT: Mount Nelson Hotel, Kaapstad

De schitterende Paarl-vallei gezien vanaf Fairview.

meer alleen als medicijn gebruikt; zowel de rode als de witte wijn zijn heerlijk levendig van smaak en zacht geprijsd dankzij de grootschalige productie. Jaarlijks worden er zo'n 100.000 dozen geproduceerd. Dit alles is het werk van Charles Back, een hartstochtelijk wijnmaker en geboren ondernemer. Hij heeft ook veel succes als kaasproducent en maakt uitstekende geiten- en schapenkazen.

De 167 ha grote wijngaard op de laagste hellingen van de Paarl-berg strekt zich uit over een bodem van verpulverd graniet en zandsteen – een ideale ondergrond voor de verbouw van shiraz (syrah). De Fairview Shiraz is een heerlijke wijn vol moerbesfruit en met voldoende structuur om oud te worden.

PROEFRAPPORT
FAIRVIEW SHIRAZ 1993

Vol, donker karmijnrood; prachtige, vroegrijpe aroma's van moerbessen en sucade-gember-koek; ook de moerbessmaken van het noordelijk Rhône-gebied zijn er, maar zonder de sterke tannine en peper. Allemansvriend.

Categorie ★★★★

De grote toren en kelder van Fairview.

Deze kwaliteitswijn werd overladen met gouden medailles en elk jaar vanaf 1988 is uitstekend. De 1993 is voortreffelijk. Fairview maakt ook geweldige pinotage (een gekruiste Zuid-Afrikaanse druivensoort). De witte sémillon is een heerlijk volle wijn, lekker bij zwezerik.

Charles Back, wijnmaker van Fairview.

HAMILTON RUSSELL VINEYARDS

Hemel-en-Aardevallei, P. O. Box 158, Hermanus
Cape 7200, Zuid-Afrika
Tel: (+27) 283 23595 Fax: (+27) 283 21797
Bezoek: ma-vr 9.00-17.00 uur, za 9.00-13.00 uur

*O*ver de pinot noir doen vele verhalen de ronde. Volgens traditionalisten komt deze grillige druif alleen in het klimaat en op de bodem van de Bourgondische Côte d'Or volledig tot haar recht – misleidende, zelfgenoegzame praatjes van Bourgondiërs. De realiteit toont ons dat steeds meer wijnmakers uit de hele wereld respectabele pinot noirs produceren die vaak lekkerder zijn dan veel bourgognes.

EXTRA INFORMATIE

EIGENAAR: Anthony Hamilton Russell

WIJNMAKER: Kevin Grant

WIJNGAARD: 65 ha

PRODUCTIE: 25.000 dozen (waaronder pinot noir, chardonnay en sauvignon blanc) per jaar

DRUIVENSOORTEN: pinot noir, chardonnay

GEMIDDELDE LEEFTIJD WIJNSTOKKEN: 12 jaar (Barbaresco-wijngaard)

PERCENTAGE NIEUW HOUT: rond 30% (afhankelijk van wijnjaar)

AANBEVOLEN RECENTE WIJNJAREN: 1997, 1996, 1991

AANBEVOLEN COMBINATIES: hert en gebraden eend met vruchten (bij pinot noir)

PLAATSELIJK RESTAURANT: Burgundy Restaurant, Hermanus

Het probleem is dat veel pinot noirs van buiten de Bourgogne, vooral die uit Napa en Sonoma, een uitgesproken fruitigheid, kracht, kleur- en smaakextractie hebben die ze misschien tot allemansvrienden maken, maar naast de grote, verfijnde en serene, intense wijnen van topproducenten als Chambolle-Musigny of Volnay vallen ze in het niet.

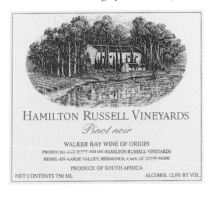

Zal dat altijd zo blijven? Ik zou er maar niet op rekenen. Hamilton Russell in het koelste, zuidelijkste puntje van Zuid-Afrika slaagt er elk jaar in de subtielste smaken uit zijn pinot noir-druiven te krijgen. Deze onderneming stelt hoge eisen aan zijn producten. "We willen geen forse, vaak vluchtige, fruitige directheid, maar een geconcentreerde complexiteit van karakter en potentieel voor verdere ontwikkeling", zegt eigenaar Anthony Hamilton Russell, "Ons streven is de romantiek van het land en het drama van het wijnjaar terug te laten komen in de wijn." Dit klinkt misschien wat poëtisch, maar het het komt erop neer dat het *terroir* van de wijngaarden uit de Hemel-en-Aardevallei voor Anthony even belangrijk is als een perceel Morey-St.-Denis voor een grote bourgogne-producent als Jacques Seysses.

Ik herinner me nog als de dag van gisteren dat ik in oktober 1990 bij Hamilton Russell op bezoek ging. De Hemel-wijngaard is een van de mooiste die ik ooit heb gezien. De nabij-

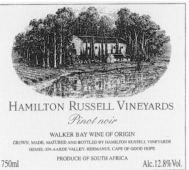

heid van de zuidelijke Atlantische Oceaan en de geur van kruiden deden me denken aan de Provence, maar met een speciaal karakter dat alleen Afrikaans kan zijn. De wijn-

> **PROEFRAPPORT**
>
> HAMILTON RUSSELL PINOT NOIR 1996
>
> Zeer elegant, helder vermiljoen-rood; fraaie aroma's, te complex om er fruitsoorten in te herkennen, boventonen van herfstbladen en Provençaalse kruiden; geconcentreerde smaak, heerlijke pinot-smaak, goede zuurheid en lengte. Afgesloten met een simpele kurk was deze wijn na een week nog lekker. Geproefd in september 1997.
>
> Categorie ★★★

gaard, gelegen op noordelijke en noordoostelijke hellingen, bevat 16 verschillende, schrale, stenige grondsoorten. De wijngaard ligt ruim 3 km onder Walker Bay in een soortgelijk koel, maritiem klimaat als Santa Barbara aan de Californische kust – ook al zo'n goede plek voor pinot noir. Alle druiven worden handmatig geoogst en gaan voor het persen naar een sorteertafel. In de kelder staan een zachte behandeling en traditionele vinificatie voor-

op, met gebruik van natuurlijke gisten en de beste *barriques* van grote Franse kuiperijen. De pinot noirs van Hamilton Russell zijn Bourgondischer van stijl dan die van andere producenten uit de Nieuwe Wereld. Ze zijn helder van kleur met frisse aroma's die later hemels worden, een strakke, compacte structuur en een lange, beklijvende afdronk. Bovendien komt de plek van herkomst in de wijnen duidelijk tot uitdrukking.

Anthony geeft eerlijk toe dat het wijngoed problemen heeft gehad omdat de wijnstokken waren aangetast door de bladroller, maar met de uitmuntende 1997 die in 1998 op de markt kwam, is Hamilton Russell klaar om zich bij het selecte gezelschap van de beste pinot noir-producenten ter wereld te voegen. Het wijngoed maakt ook een voortreffelijke chardonnay en erg goede sauvignon blanc.

DOMAINE MICHEL JUILLOT

B.P. 10 Grande Rue, 71640 Mercurey, Frankrijk
Tel: (+33) 3 85 45 27 27 Fax: (+33) 3 85 45 25 52
*Bezoekers: dagelijks, behalve op zondag,
8.30-12.15 uur en 14.00-18.00 uur*

*D*it is een van de beste *domaines* in Mercurey. Naamgever Michel Juillot heeft het grondbezit in nog geen 20 jaar verdubbeld tot 30 ha, zonder compromissen wat betreft kwaliteit. Sinds 1994 is zoon Laurent de wijnmaker.

Het *domaine* maakt een interessant assortiment Mercureys *premier cru* van de *climats* Clos des Barraults, Clos l'Evèque en Les Champs Martins, evenals Clos Tonnerre, een monopolie van het *domaine*. Ze hebben allemaal een heel eigen karakter, een uitgesproken

EXTRA INFORMATIE

EIGENAAR: Michel Juillot
WIJNMAKER: Laurent Juillot
WIJNGAARD: 30 ha
PRODUCTIE: 12.500 dozen per jaar
DRUIVENSOORT: pinot noir
GEMIDDELDE LEEFTIJD WIJNSTOK-KEN: 35 jaar
PERCENTAGE NIEUW HOUT: 15-20%
AANBEVOLEN RECENTE WIJNJA-REN: 1995, 1993, 1990
AANBEVOLEN COMBINATIES: *noisette* van ree, gestoofde zwezerik in een *brunoise* van groenten
PLAATSELIJK HOTEL-RESTAURANT: Hôtellerie du Val d'Or, Mercurey

kleur, een goede balans tussen fruit en hout, en het mineraalgehalte van een goede Nuits St.-Georges. Michel maakt nu ook een krachtige Corton Perrières van wijnstokken *en fermage* (in pacht).

De perfectionistische wijnbereiding vindt plaats in een moderne *cuverie* in Mercurey. De druiventrossen worden in hun geheel binnengebracht en ontdaan van hun steeltjes. Men laat de druiven vijf dagen koud staan voor een goede kleur, waarna ze zeven dagen bij vrij hoge temperaturen gisten in kleine open vaten. De most blijft een poosje in contact met de schillen en gaat dan meteen op het vat, zodat het effect van het eikenhout optimaal is tijdens de melkzuurgisting. De hoeveelheid nieuw eiken varieert van 10-20%, afhankelijk van het wijnjaar.

Voor het nieuwe millennium brengt Michel een speciale wijn uit, gemaakt in 1988 van 70-jarige wijnstokken. Hij heet Mercurey 2000 en is alleen verkrijgbaar in magnums.

> **PROEFRAPPORT**
> **MERCUREY CLOS TONNERRE 1995**
> Een grote wijn om tot 1999 te bewaren; grote diepgang, maar ook de elegantie en finesse die typerend zijn voor Juillot; de robijnrode kleur is niet te sterk; fraaie mengeling van klein rood fruit en wildaccenten in geur en smaak, zijdezachte tannine, lange afdronk. Vlekkeloos.
> Categorie ★★★

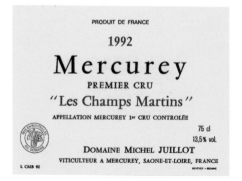

LEEUWIN ESTATE

Stevens Road, Margaret River, West-Australië 6285
Tel: (+61) 9 430 4099 Fax: (+61) 9 430 5687
Bezoekers: dagelijks 10.00-16.30 uur

*L*eeuwin Estate is een van de eerste vijf wijngoederen in het Margaret River-district in West-Australië. De Amerikaanse wijnkoper Robert Mondavi ontdekte het stuk land waar Leeuwins wijngaard nu ligt, in 1972 – een ideale plek voor de productie van goede wijn. De zomers zijn niet te warm, het land grenst aan drie zijden aan de oceaan en de grindbodem lijkt op die van Bordeaux.

Met de hulp van Mondavi maakte de familie Horgan van hun veeboerderij een wijngoed. In 1974 werd een kwekerij

EXTRA INFORMATIE

EIGENAARS: Denis en Tricia Horgan
WIJNMAKER: Robert Cartwright
WIJNGAARD: 117,5 ha
PRODUCTIE: 500 vaten per jaar
DRUIVENSOORTEN: 25% cabernet sauvignon; 25% chardonnay; 10% pinot noir; 12% sauvignon blanc; 28% riesling
GEMIDDELDE LEEFTIJD WIJNSTOKKEN: 75% geplant in 1974 en 1975; de rest in 1994 en 1995
PERCENTAGE NIEUW HOUT: 100%
AANBEVOLEN RECENTE WIJNJAREN: 1995, 1992, 1991, 1982
AANBEVOLEN COMBINATIES: rund- en lamsvlees, wild (cabernet sauvignon)
EIGEN RESTAURANT: ja

opgezet. Het eerste proefjaar was 1978. Twintig jaar later behoort Leeuwin tot de beste wijnproducenten van Australië en tot de top 20 van de Nieuwe Wereld. De terechte faam van hun voortreffelijke chardonnay krijgt extra glans door de collectie moderne Australische kunst aan de muren van de wijnmakerij, de prestigieuze jaarlijkse concerten in het openluchttheater en het bekroonde restaurant op het wijngoed.

PROEFRAPPORT

'ART SERIES'
CABERNET
SAUVIGNON 1993

Intens, donker paarsrood; zeer individuele neus van vol rood fruit en houtvuur; rijk, kruidig fruit, maar elegant en zacht met een fraaie, lange afdronk.

Categorie ★★★

Critici zijn geneigd de cabernet sauvignons uit de 'kunstserie' te onderschatten. De druiven worden machinaal geplukt en gisten in gesloten vaten, waar ze twee keer per dag worden rondgepompt voor de tannine- en kleurextractie. De gisting en melkzuurgisting duren 3 weken. De wijn rijpt 30 maanden op Frans eiken

De wijnmakerij op Leeuwin Estate.

en 14 maanden op de fles voor hij op de markt komt. In het fantastische wijnjaar 1991 werd deze volle kwaliteitswijn echt volwassen; er volgden een indrukwekkende 1992 en 1993.

DOMAINE JEAN MARÉCHAL

Grande Rue, 71640 Mercurey, Frankrijk
Tel: (+33) 3 85 45 11 29 Fax: (+33) 3 85 45 18 52
Bezoekers: ma-za 8.00-12.00 uur en 13.30-19.00 uur,
zondag op afspraak

*D*e rode wijn van Mercurey biedt vaak de beste prijs-kwaliteitverhouding van alle bourgognes, en dit bescheiden *domaine* is een betrouwbare leverancier. De familie maakt al sinds eind 16e eeuw wijn, het is dus niet verwonderlijk dat de huidige generatie, Jean Maréchal en zijn schoonzoon Jean-Marc Bovagne, bewaarwijnen maken die opgelegd moeten worden.

Alle ingrediënten voor een klassieke wijn zijn aanwezig voor een redelijke prijs: 10 ha oude wijnstokken op de beste hellingen van Mercurey, verstandige opbrengsten, handmatig geplukte

EXTRA INFORMATIE

EIGENAAR: Jean Maréchal
WIJNMAKER: Jean Maréchal en Jean-Marc Bovagne
WIJNGAARD: 10 ha
PRODUCTIE: 4000 dozen per jaar
DRUIVENSOORT: pinot noir
GEMIDDELDE LEEFTIJD WIJNSTOKKEN: 35 jaar
PERCENTAGE NIEUW HOUT: 10%
AANBEVOLEN RECENTE WIJNJAREN: 1996, 1995, 1993
AANBEVOLEN COMBINATIES: gegrild vlees, gevogelte, kazen
PLAATSELIJK HOTEL-RESTAURANT: Hôtellerie du Val d'Or, Mercurey

druiven, traditionele *pigeage* (omlaag duwen) van de hoed, trage gisting en niet te veel gebruik van nieuw hout. De hoog genoteerde Cuvée Prestige komt van de *premier cru*-druiven van Clos L'Eveque, Les Naugues en Champs Martin. De 1993, een uitzonderlijk wijnjaar, is een echte bewaar-wijn met een intens aroma van kersen en een mooi tanninege-

halte. De 1994 is vroegrijp en ferm, maar fris en vol nuance; de 1995 (*zie* Proefrapport) is een grote wijn die tot 2003-2005 mooi blijft. De Maréchals maken ook een Mercurey *blanc* en een goede bourgogne *rouge* om jong te drinken. De wijnen worden vooral aan particulieren in Frankrijk verkocht, maar ook geëxporteerd naar Duitsland en Groot-Brittannië.

De kelders van Mercurey.

Domaine Jean Maréchal, Mercurey, Frankrijk.

CHÂTEAU MONBRISON

33460 Arsac, Margaux, Frankrijk
Tel: (+33) 5 56 58 80 94 Fax: (+33) 5 56 58 85 33
Bezoekers: alleen op afspraak

*D*eze charmante boerderij (*gentilhommiè-re*, zoals de Fransen zeggen) ligt op een stil, landelijk plekje achter Margaux, in de gemeente Arsac. Het huis met wijngaard werd in 1921 gekocht door de Amerikaanse dichter en journalist Robert Davis, die hier met zijn vrouw Kathleen bleef tot het begin van de Tweede Wereldoorlog. Daarna trok de familie naar Marokko en de wijngaard werd omgeploegd. Davis' jongste dochter Elizabeth heeft het wijngoed in 1963 weer tot leven gewekt en de wijngaard herbe-

EXTRA INFORMATIE

EIGENAAR: Elizabeth Davis

WIJNMAKER: Laurent Vonderheyden

WIJNGAARD: 13 ha

PRODUCTIE: 5800 dozen per jaar

DRUIVENSOORTEN: 50% cabernet sauvignon; 30% merlot; 15% cabernet franc; 5% petit verdot

GEMIDDELDE LEEFTIJD WIJNSTOK-KEN: 30 jaar

PERCENTAGE NIEUW HOUT: tot 60%

AANBEVOLEN RECENTE WIJNJAREN: 1996, 1995, 1990, 1989, 1986, 1985, 1983

AANBEVOLEN COMBINATIES: rood vlees en wild

PLAATSELIJK RESTAURANT: Le Lion d'Or, Arcins

plant. Ze had een vooruitziende blik, want de wijnstokken
groeien op hetzelfde benijdens-
waardige grindplateau, Le
Grand Poujeau genaamd, als
die van Château d'Angludet
(*zie aldaar*). De wijnen hebben
hetzelfde stoere karakter en de
finesse en rijkdom nemen alleen nog maar toe naarmate de
wijnstokken ouder worden.

Monbrison is nu een model-
bedrijf en maakt een van de
allerbeste *cru bourgeois* van

Bordeaux. De opbrengsten zijn bewonderenswaardig laag en
Elizabeths zoon Laurent Vonderheyden is een zeer bekwaam
wijnmaker. Wijncritici slaakten een zucht van verlichting toen
Laurent zich bewees als waardig opvolger in de *cuverie* van zijn
broer Jean-Luc, die in 1994 tragisch jong stierf.

De vinificatie gebeurt op traditionele wijze, maar vindt wel
plaats in emaille en roestvrijstalen vaten voor een optimale
controle. De gistingstemperatuur kan oplopen tot 32 °C. De
most wordt twee keer per dag afgeheveld met flink wat lucht
erbij en blijft 20-30 dagen in contact met de schillen, waarna

Château Monbrison te Margaux, gezien vanuit de lucht.

hij 2 jaar in houten vaten (tot 60% nieuw) rijpt. De wijn is stevig en tanninerijk, maar met een latente zachtheid en verfijnde aroma's die zich na 7-10 jaar op de fles openbaren. Monbrison is een Margaux op haar mooist en verfijndst – elk jaar weer beter dan diverse *cru classé*-wijnen uit de *appellation*.

CHÂTEAU MONTUS

32400 Maumussin-Laguian, Frankrijk
Tel: (+33) 5 62 69 74 67 Fax: (+33) 5 62 69 70 46
Bezoekers: ma-za 9.00-12.00 uur en 14.00-18.30 uur

*D*e energieke Alain Brumont is de Georges Duboeuf van Zuidwest-Frankrijk. Hij heeft de in vergetelheid geraakte rode wijn van Madiran bredere bekendheid gegeven. Dertig jaar geleden was Madiran nogal een 'krachtpatser', hoofdzakelijk gemaakt van de taaie, tanninerijke tannat-druif. Brumont heeft hem soepeler en verfijnder weten te maken door een fantasievolle bereiding en een intelligent gebruik van nieuw hout. Zijn Château Montus (de gewone *cuvée*) is een uitstekend alternatief voor de te dure bordeaux uit de Gironde.

EXTRA INFORMATIE

EIGENAAR: S. A. Domaines et Châteaux d'Alain Brumont

WIJNMAKER: Alain Brumont

WIJNGAARD: 34,5 ha

PRODUCTIE: 16.000 dozen per jaar

DRUIVENSOORTEN: 80% tannat; 10% cabernet franc; 10% cabernet sauvignon

GEMIDDELDE LEEFTIJD WIJNSTOKKEN: 15 jaar

PERCENTAGE NIEUW HOUT: 50%

AANBEVOLEN RECENTE WIJNJAREN: 1995, 1990

AANBEVOLEN COMBINATIES: wildgerechten

PLAATSELIJK HOTEL-RESTAURANT: Hôtel de France, Auch

P R O E F R A P P O R T

CHÂTEAU MON-
TUS 1994

Donker, krachtig robijnrood;
ferm, stoer en mondvullend,
maar met een goede
balans; het tanninegehalte
is rijp en de smaken rond
door de mooie dosis nieuw
eikenhout.

Drinken van nu tot 2001.

Categorie ★★★

De wijngaard van Château Montus, in 1981 gerenoveerd door Brumont, is 34,5 ha groot. Er staat hoofdzakelijk tannat met wat cabernet sauvignon en fer servadou. De grond op de steile hellingen met terrassen bestaat uit grote kiezelstenen op een onderlaag met veel ijzer en mangaan – ideaal voor het maken van donkere, krachtige rode wijn.

Toch doet Brumont er alles aan om Madirans stoere, soms ruwe, tanninerijke karakter meer finesse te geven. De druiven worden ontdaan van hun steeltjes en gisten vrij lang (21 dagen) bij hoge temperaturen van 30-35 °C; de wijn rijpt 8-16 maanden in relatief nieuw eiken. Château Montus is een rode wijn voor alle seizoenen. U kunt hem jong drinken of zo'n 10 jaar bewaren. Hij is een zeer plooibare begeleider van de meest uiteenlopende gerechten. Er is ook een prestige-botteling van Montus (de prachtige 1990), gemaakt van 100% tannat, al biedt de gewone *cuvée* meer waar voor zijn geld.

PENLEY ESTATE

16 Ruthven Avenue, Adelaide, Zuid-Australië 5000
Tel: (+61) 8 8231 2400 Fax: (+61) 2 8231 0589
Bezoekers: op afspraak

*K*ym Tolley, de zesde generatie van een befaamde familie van Zuid-Australische wijnmakers, werkte voor Penfold voordat hij in 1988 Penley Estate oprichtte in Coonawarra. Omdat hij gespecialiseerd was in rode wijn, koos Tolley voor Coonawarra, want de combinatie van een koel klimaat met vruchtbare, rode grond levert altijd zeer weelderige, gebalanceerde cabernet sauvignons op. In slechts 10 jaar tijd zijn de cabernets van Penley doorgedrongen tot de topklasse, met een voorbeeldige complexiteit en een mooie harmonie tussen fruit en hout.

EXTRA INFORMATIE

EIGENAAR: Kym Tolley
WIJNMAKER: Kym Tolley
WIJNGAARD: 83 ha
PRODUCTIE: 18.000 dozen per jaar
DRUIVENSOORTEN: 56% cabernet sauvignon; 22% shiraz; 10% merlot; 3% cabernet franc; 4% pinot noir; 5% chardonnay
GEMIDDELDE LEEFTIJD WIJNSTOKKEN: 8 jaar
PERCENTAGE NIEUW HOUT: 80% (Reserve Cabernet)
AANBEVOLEN RECENT WIJNJAAR: 1991
AANBEVOLEN COMBINATIES: gebraden rund-, lamsvlees, gegrild vlees en wild
PLAATSELIJKE RESTAURANTS: Cobb & Co., The Hermitage, allebei in Coonawarra

PROEFRAPPORT
PENLEY ESTATE COONAWARRA RESERVE CABERNET SAUVIGNON 1992

Compacte, volle paarsrode kleur, geen spoor van leeftijd; heerlijke Coonawarra-aroma's, zoete pruimen en room; duidelijke structuur en geprononceerde, lange, elegante smaaknuances. Fascinerende wijn, valt bij iedereen in de smaak, ook bij kenners. Geproefd in december 1997.

Categorie ★★★

PENLEY ESTATE
COONAWARRA
AUSTRALIA

Penley kweekt al zijn druiven zelf in Coonawarra; voor de Reserve Cabernet Sauvignon wordt geen fruit ingekocht. De druiven worden machinaal geplukt. De gisting duurt 7-10 dagen in roestvrij staal bij temperaturen van 18-20 °C, waarbij de hoed met houten planken omlaag geduwd wordt voor een goede kleur- en fruitextractie. De Reserve Cabernet rijpt zowel op Frans als Amerikaans eiken. Deze wijn kan relatief jong gedronken worden, maar ontwikkelt na 5-8 jaar op de fles een mineraalachtige complexiteit.

Kym Tolley, oprichter van Penley Estate.

De wijngaard van Penley Estate in Coonawarra.

Penley maakt ook een bramenachtige shiraz, een soepele cabernet/shiraz, een compacte chardonnay en een mousserende *méthode champenoise*-wijn.

CHÂTEAU PICHON-LONGUEVILLE (BARON)

33250 Pauillac, Frankrijk
Tel: (+33) 5 56 73 24 20 Fax: (+33) 5 56 73 17 28
Bezoekers: op afspraak

*L*ange tijd ging het niet zo goed met deze *cru classé* van Pauillac, maar sinds de komst van de nieuwe eigenaar –de machtige AXA-verzekeringsgroep– vanaf 1987, is het wijngoed weer in topvorm. Het *château* werd compleet gerenoveerd. Het schitterende huis, geflankeerd door twee torens met puntdaken, ziet er, in tegenstelling tot de nieuwe, futuristische wijnmakerij, uit als een sprookjeskasteel.

EXTRA INFORMATIE

EIGENAAR: AXA Millesimes

WIJNMAKERS: Jean-Michel Cazes en Daniel Llose

WIJNGAARD: 50,5 ha

TWEEDE WIJN: Les Tourelles de Longueville

PRODUCTIE: 24.000 dozen per jaar

DRUIVENSOORTEN: 75% cabernet sauvignon; 24% merlot; 1% petit verdot

GEMIDDELDE LEEFTIJD WIJNSTOKKEN: 25 jaar

PERCENTAGE NIEUW HOUT: tot 70%

AANBEVOLEN RECENTE WIJNJAREN: 1996, 1990

AANBEVOLEN COMBINATIES: *filet de boeuf en croûte*

PLAATSELIJK HOTEL-RESTAURANT: Château Cordeillan-Bages, Pauillac

Het pas gerestaureerde château
in Pichon-Longueville.

De wijnmakerij, die meer op een lancerings-centrum dan op een wijnkelder lijkt, is op briljante wijze ontworpen voor de productie van mooie bordeaux-wijnen. Alle bewegingen van de wijn worden gereguleerd door de zwaarte-kracht. Het sap en de schillen van de geperste druiven vallen regelrecht in roestvrijstalen vaten om te gisten, waarna de jonge wijn in *barriques* loopt voor de vatrijping. Pompen, die een schadelijk oxiderend effect op de wijn zouden kunnen hebben, zijn niet nodig.

Enkele andere hervormingen die door de huidige directeuren, Jean-Michel Cazes en Daniel Llose van Château Lynch-Bages (*zie aldaar*) zijn doorgevoerd, zijn een late, handmatige oogst voor optimaal rijp fruit en de verhoging van het percentage nieuw hout tot 70% in goede wijnjaren.

Onder het regime van Cazes-Llose maakt Pichon *Baron* (ter onder-scheiding van Pichon *Comtesse*) opnieuw wijnen die hun hoge classificatie volledig recht doen; dit zijn klassieke Pauillacs – kracht en klasse in volmaakt evenwicht. Uitstekende wijnjaren waren 1988, 1989 en met name 1990, toen alleen het machtige Château Latour (*zie aldaar*) Pichon met een neuslengte voorbleef. Les Tourelles de Longueville, Pichons tweede wijn, is gewoonlijk een uitstekende koop; deze sneller rijpende versie van de *grand vin* is redelijk geprijsd.

PROEFRAPPORT

CHÂTEAU PICHON-LONGUEVILLE 1990

Fraai, donker robijnrood; een glorieus bouquet van zwarte bessen, mineralen en 'sigaren-kist' (klassieke Pauillac); grote concentratie van fruit in fraaie balans met het hout; uitzonderlijk lange afdronk. Een grootse wijn die zich nog ontwikkelt tot in 2010.

Categorie ★★★★★

CHÂTEAU POUJEAUX

33480 Moulis en Médoc, Frankrijk
Tel: (+33) 5 56 58 02 96 Fax: (+33) 5 56 58 01 25
*Bezoekers: ma-za 9.00-12.00 uur
en 14.00-17.00 uur*

*A*ls ik een bordeaux moest noemen die zijn geld altijd waard is, zou het deze zijn – Château Poujeaux. Poujeaux is geen *cru classé*, maar wel een prachtige wijn en een van de beste koopjes van de Médoc. Het verhaal gaat dat wijlen Georges Pompidou eens, toen hij zijn baas baron Élie de Rothschild (eigenaar van Lafite) te gast had in Parijs, twee bordeaux-wijnen 1953 zonder etiket serveerde, beide gedecanteerd. De baron dacht dat een van beide een Lafite was en bedankte zijn gastheer voor dit aardige

EXTRA INFORMATIE

EIGENAAR: familie Theil
WIJNMAKER: François Theil
WIJNGAARD: 52,5 ha
PRODUCTIE: 25.000 dozen per jaar
DRUIVENSOORTEN: 50% cabernet sauvignon; 40% merlot; 5% cabernet franc; 5% petit verdot
GEMIDDELDE LEEFTIJD WIJNSTOKKEN: 30 jaar
PERCENTAGE NIEUW HOUT: 50%
AANBEVOLEN RECENTE WIJNJAREN: 1996, 1995, 1990, 1988, 1986, 1985
AANBEVOLEN COMBINATIES: hert, patrijs, gebraden eend en gans
PLAATSELIJK RESTAURANT: Le Lion d'Or, Arcins

gebaar. "Maar wat u drinkt is een Poujeaux", was de reactie van Pompidou.

De *appellation* Moulis, gelegen in het hart van de Médoc, tussen Margaux en St.-Julien, profiteert van een bijzondere omgeving. Château Poujeaux bezit hier een 52,5 ha grote wijngaard op een onderlaag van Gunzgrind. Voeg hier de menselijke factor van de gebroeders

Theil –twee hartstochtelijke en toegewijde *vignerons* en wijnmakers– aan toe en u hebt het recept voor iets zeer bijzonders.

De Theils plukken de druiven zo laat mogelijk, zodat ze optimaal gerijpt zijn. Ze gebruiken houten vaten, betonnen vaten bekleed met epoxyhars en roestvrijstalen tanks, allemaal met temperatuurregulering. De gisting en melkzuurgisting duren zo'n 6 weken. De wijnen van Château Poujeaux zijn altijd donker van kleur met subtiele aroma's en een zacht, rond tanninegehalte. De wijnen kunnen jong gedronken worden,

De kelder van Château Poujeaux.

De wijnen van Poujeaux hebben gewoonlijk een
diepe, krachtige kleur en subtiele aroma's.

maar hebben zeker 10 jaar nodig voor ze hun hoogtepunt
bereiken. De 1985 is een prachtige, sensuele wijn en de 1990 is
klassiek. De 1995 en 1996 behoren allebei tot de grootste wijnen van hun jaar.

PROEFRAPPORT

CHÂTEAU
POUJEAUX 1994

Een eersteklas resultaat in dit
relatief goede wijnjaar;
donkere kleur; krachtig,
maar romig bouquet; rijpe
zwarte bessen exploderen in de
mond, maar krijgen tegenwicht
van het mooie tanninegehalte
en een briljant vleugje hout.
Meesterlijk gemaakt.
Categorie ★★★★

LA RIOJA ALTA

Apartado no. 20 26200 Haro, Spanje
Tel: (+34) 41 31 04 07 Fax: (+34) 41 31 26 54
Bezoekers: op afspraak

$\mathscr{D}$it familiebedrijf uit 1890 bezit 303,5 ha wijngaarden op de beste plaatsen in de Rioja Alta. De gemiddelde opbrengst is klein – 1537 l per ha. Daarnaast koopt men druiven in van traditionele wijnboeren. De enige concessie die het bedrijf aan de technologie heeft gedaan, zijn de roestvrijstalen gistingstanks. De rijping daarentegen vindt plaats volgens traditionele Rioja-methode – lang rijpen op Amerikaans eiken, elke 6 maanden handmatig afhevelen en een lange flesrijping. De permanente voorraad van 6,4 mil-

EXTRA INFORMATIE

EIGENAAR: La Rioja Alta S.A.

WIJNMAKER: n.v.t.

WIJNGAARD: 303,5 ha

PRODUCTIE: 66.000 dozen per jaar

DRUIVENSOORTEN: tempranillo, garnacha, mazuelo, graciano

GEMIDDELDE LEEFTIJD WIJNSTOKKEN: geen informatie beschikbaar

PERCENTAGE NIEUW HOUT: 10% Amerikaans eiken

AANBEVOLEN RECENTE WIJNJAREN: 1994, 1989, 1987, 1983, 1978

AANBEVOLEN COMBINATIES: hert, gebraden speenvarken

PLAATSELIJK RESTAURANT: Beethoven, Haro

PROEFRAPPORT

VIÑA ARDANZA
1989

Donker, intens kersenrood;
tempranillo-aroma's, verfijnde
geur met vleugje zoete vanille
springt uit het glas;
vol en krachtig van smaak,
nog niet op dronk.
Deze wijn barst van de
smaak. Goede koop.
Geproefd in december
1997.
Categorie ★★★

joen flessen wijn staat gelijk aan de verkoop van 8 jaar. Weinig wijnproducenten op de wereld hebben zo'n hoge voorraad-verkoopverhouding. Kwaliteit staat hier voorop, maar er wordt wel een prijs voor betaald.

De topwijnen van Rioja Alta (de Gran Reserva's 904 en 890) zijn heerlijke romige wijnen, maar zoals Robert Parker zegt: "Door de grote vraag van de beste Spaanse restaurants gaan er maar weinig het land uit." Zoals meestal bij grote rioja-producenten, zijn de gewone reserva's goed van kwaliteit, met name de overal verkrijgbare Viña Ardanza's. De zeer geslaagde Ardanza van 1989 *(zie* Proefrapport) is een volle, krachtige wijn met een traditioneel vleugje zoete vanille, verkregen door 42 maanden rijpen op Amerikaans eiken. Deze wijn ontwikkelt zich nog tot begin 21e eeuw – niet slecht voor een wijn van nog geen *f* 30,- per fles.

SAINTSBURY

1500 Los Carneros Avenue, Napa, Californië, VS
Tel: (+1) 707 252 0592 Fax: (+1) 707 252 0595
Bezoekers: alleen op afspraak, 10.00-16.00 uur

'*Beaune in de Verenigde Staten.*' Deze rare slogan op de sweaters van wijnmakerij Saintsbury is geen holle kreet, want de soepele, geurige pinot noirs die hier worden gemaakt, zijn minstens zo lekker als veel goede rode wijnen uit Bourgogne. Dat was heel anders in 1977, toen David Graves en Richard Ward elkaar ontmoetten op Davis, de wijnschool van de Universiteit van Californië. In die tijd was Californische pinot noir één doffe ellende: groot, grof en tanninerijk. En dus droomden Dave en Dick bij een fles

EXTRA INFORMATIE

EIGENAARS: David Graves en Richard Ward

WIJNMAKER: Byron Kosuge

WIJNGAARD: 20 ha

PRODUCTIE: 48.000 dozen per jaar

DRUIVENSOORTEN: pinot noir, chardonnay

GEMIDDELDE LEEFTIJD WIJNSTOKKEN: 5-29 jaar

PERCENTAGE NIEUW HOUT: 25% (Garnet); 40% (Carneros); 55% (Reserve)

AANBEVOLEN RECENTE WIJNJAREN: 1995, 1991

AANBEVOLEN COMBINATIES: gegrild lamsvlees, vlezige vis (zeeduivel, tonijn, zalm)

PLAATELIJKE RESTAURANTS: Celadon (Napa); French Laundry & Domaine Chandon (Yountville)

Morey-St.-Denis van een eigen wijnmakerij die dit imago van de pinot noir uit Napa Valley zou kunnen opvijzelen.

Ze wisten dat de kieskeurige bourgogne-druif niet van hitte houdt, dus na veel zoeken kozen ze voor Carneros, een oud weidegebied in Napa en Sonoma, waar het klimaat wordt gedomineerd door de koele zeelucht van de nabijgelegen Stille Oceaan en San Pablo Bay. De partners leenden geld van familie en vrienden en begonnen in 1981 met de wijnproductie van pinot noir en chardonnay, eerst in een oude, gehuurde wijnmakerij in St.-Helena en later aan Los Carneros Avenue in een modern,

Byron Kosuge, wijnmaker van Saintsbury.

houten gebouw. Het bedrijf werd vernoemd naar de prikkelbare Britse academicus George Saintsbury, wiens uitspraken over wijn in de jaren '20 als heilig werden beschouwd. "We vonden die ouwe snuiter wel leuk", zeggen de partners, weliswaar met een knipoog, maar heel goed wetend dat de naam vooral wordt geassocieerd met 'het goede leven'. Nu, eind 20e eeuw, is Saintsbury een betrouwbare, stijlvolle en redelijk geprijsde leverancier van pinot noir.

Zo'n 40% van Saintsbury's pinot noir-fruit komt uit de eigen wijngaard; de rest wordt onder supervisie geteeld door plaatselijke boeren. De druiven worden handmatig geplukt en geheel ontdaan van hun steeltjes. De vinificatie vindt plaats in gesloten, roestvrijstalen vaten die door hun kleine formaat vrij gemakkelijk hanteerbaar zijn. Saintsbury vindt een warme gisting van pinot noir (bij minstens 49 °C) noodzakelijk voor een goede tannine- en kleurextractie en de juiste smaakontwikkeling. Een houtvleugje hoort erbij, maar is nooit dominant.

Er worden drie typen pinot noir gemaakt: Garnet, een frisse, doorzichtige wijn vol primaire fruitsmaken; Carneros Pinot Noir, een klassieke wijn, en de Reserve Pinot Noir, de rijkste en volste, een wijn van wereldklasse, met name de fraaie, subtiele 1991 en de rijpe, intense 1995.

PROEFRAPPORT

SAINTSBURY RESERVE PINOT NOIR 1995

Een van de meest intense wijnen die Saintsbury heeft gemaakt, maar heel mooi van balans en compleet. Diep, maar helder robijnrood, weelderig rijk en prachtig bouquet, vol met een rijp tanninegehalte, smeuïg maar harmonieus. Bij vergelijking met een Beaune *premier cru* 1995 van een topproducent was deze beter. Geproefd in september 1997.

Categorie ★★★★

David Graves (links) en Richard Ward, oprichters van Saintsbury.

SHAFER VINEYARDS

6154 Silverado Trail, Napa, Californië, VS
Tel: (+1) 707 944 2877 Fax: (+1) 707 944 9454
Bezoekers: op afspraak, ma-vr

*D*it is mijn favoriete wijnmakerij in Cali-fornië, opgericht en geleid door een van de beschaafdste, wellevendste heren uit de wijnhandel. John Shafer, uitgever van kinder-boeken in Chicago, kocht de grond in 1972. Met vooruitziende blik koos hij deze wijn-gaard op een helling in Stag's Leap, die in de middag verkoeling krijgt van de wind uit San Francisco Bay. Hij ging er vanuit dat hier betere wijn te maken was dan in het modieuzere, platte Oakville Bench-dis-trict midden in Napa Valley.

EXTRA INFORMATIE

EIGENAARS: John en Doug Shafer

WIJNMAKER: Elias Fernández

WIJNGAARD: 56 ha

PRODUCTIE: 30.000 dozen per jaar

DRUIVENSOORTEN: cabernet sauvig-non, merlot, sangiovese, chardonnay

GEMIDDELDE LEEFTIJD WIJNSTOK-KEN: 12 jaar

PERCENTAGE NIEUW HOUT: 35% (merlot en sangiovese); 60% (Hillside Select)

AANBEVOLEN RECENTE WIJNJAREN: 1994, 1990

AANBEVOLEN COMBINATIES: gegrilde zalm, eendenborst (merlot); risotto, pasta (Firebreak); oude, sterke kaas, rosbief (Hillside Select)

PLAATSELIJK RESTAURANT: Domaine Chandon, Yountville

John en Doug Shafer bewonderen hun wijngaarden in de
heuvels van het Stag's Leap-district in Napa Valley.

Nu, 35 jaar later, worden John en zijn zoon Doug terecht
geprezen als makers van een van de beste wijnassortimenten in
Napa. De Shafers blijven bescheiden, overtuigd van de kwaliteit van hun product en zorgeloos genoeg om bijzonder grap-
pige en pretentieloze nieuwsbrieven over hun wijn te schrijven.

Het wijngoed Shafer bestaat nu uit 21,5 ha land bij de wijnmakerij en in Stag's Leap, aange-
vuld door 27,5 ha in het koele
Carneros. Die laatste aankoop
levert de meeste druiven voor de
steeds betere chardonnays van het
wijngoed – mooie, elegante, op
eiken gerijpte wijnen. De ware
kunststukjes van Shafer zijn echter de rode wijnen. De merlot is
altijd rond, zacht en fris. Firebreak, afkomstig van de wijngaarden
bij de wijnmakerij, is een eigen-

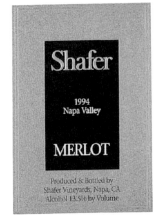

zinnige mengwijn op basis van sangiovese met een vleugje cabernet sauvignon: Shafers antwoord op de 'super-Toscanen'. De Hillside Select Cabernet Sauvignon is de trots van de kelder, een rode wijn van wereldklasse vol concentratie en smaak, die zich in goede jaren (zoals 1994 en 1990) in elk gezelschap thuisvoelt.

PROEFRAPPORT

CABERNET
SAUVIGNON
HILLSIDE SELECT
1994

Misschien wel de beste Hillside Select ooit; geconcentreerd paarsrood, prachtige aroma's van zwart fruit met mineraalachtige accenten; rijpe cabernet sauvignon-smaken, vlezig, vult de mond, maar fraai van balans en puur van smaak. Volmaakt.

Categorie ★★★★★

Château Troplong Mondot

33330 St.-Émilion, Frankrijk
Tel: (+33) 5 57 55 32 05 Fax: (+33) 5 57 55 32 07
Bezoekers: op afspraak

$\mathcal{D}$ it mooie, oude wijngoed ligt ten noordoosten van St.-Émilion op de steile heuvel van Mondot, die meer dan 100 m hoog is en een prachtig uitzicht over het omringende platteland biedt. Het 'Troplong' in de naam herinnert aan Raymond Troplong, de gevierde Franse senator, jurist en schutspatroon van de kunsten, die van 1852 tot 1869 eigenaar van het *château* was en er eersteklas wijnen maakte. Deze kwaliteit verdween tot 1980, toen

Extra informatie

EIGENAAR: G.F. Valette
WIJNMAKER: Christine Valette
WIJNGAARD: 30 ha
PRODUCTIE: 8500 dozen (*grand vin*) per jaar
DRUIVENSOORTEN: 80% merlot; 10% cabernet franc; 10% cabernet sauvignon
GEMIDDELDE LEEFTIJD WIJNSTOKKEN: 45 jaar
PERCENTAGE NIEUW HOUT: 70%
AANBEVOLEN RECENTE WIJNJAREN: 1996, 1995, 1994, 1990
AANBEVOLEN COMBINATIES: *canard rôti au fumet d'olives*
PLAATSELIJKE RESTAURANTS: Plaisance, St.-Émilion; Amat in St.-James, Bordeaux

Christine Valette en oenoloog Michel Rolland de wijnmakerij nieuw leven inbliezen.

In St.-Émilion, waar de meeste wijngaarden kleiner zijn dan 10 ha, is Troplong Mondot met zijn 30 ha een van de grootste wijnproducenten. De ligging is zeer gunstig voor goede wijndruiven. De aaneengesloten zuid- en zuidwestelijk gelegen wijngaarden strekken zich uit over een plateau dat over het dorp uitkijkt. De wijnstokken zijn gemiddeld 45 jaar oud – de oudste 90 jaar! De lage opbrengst wordt gedeeltelijk veroorzaakt door de bodemsoort: kleigrond met grind en kalksteenafzettingen op een dikke kalkstenen onderlaag. Dit geeft de wijn zijn schitterende, donkerrode kleur en uitgesproken geconcentreerde smaak.

De Troplong-wijnen van vóór 1985 waren tamelijk nietszeggend door de vroege oogst en het gebruik van oogstmachines (die goede en rotte druiven niet kunnen scheiden). Nu de druiven weer laat en handmatig worden geplukt, is de kwaliteit van het ruwe materiaal sterk verbeterd. In de wijnmakerij staat hightech apparatuur. Puristen mogen dan zeggen dat het donkere, voluptueuze karakter van de nieuwe

Château Troplong Mondot, gezien vanuit de wijngaard.

Troplongs eerder door de markt wordt bepaald dan door het *terroir*, de wijnen vallen beslist in de smaak bij veel consumenten die wijn als een hedonistisch genoegen ervaren.

JOSEPH UMATHUM

St.-Undraer Strasse 71323, Frauenkirchen, Oostenrijk
Tel: (+43) 2 172 2440 Fax: (+43) 2 172 21734
Bezoekers: op afspraak

*J*oseph Umathum is de belangrijkste wijnbouwer van het Oostenrijkse dorpje Frauenkirchen in Niesiedler See, een streek ten
zuidoosten van Wenen, tegen de Hongaarse
grens. Het Niesiedler-meer heeft grote invloed
op het klimaat en zorgt voor een zachte lente,
warme zomer en milde herfst – een ideaal klimaat voor de teelt van kwaliteitsdruiven.
Bovendien is de grond in Umathums wijngaarden warm, waterdoorlatend en rijk
aan mineralen. St.-Laurent, de plaatselijke druivensoort, is een klassedruif die
qua aromapotentieel en subtiele smaak
op haar verre familielid pinot noir lijkt,
hoewel ze over het algemeen wat donkerder en voller is.

EXTRA INFORMATIE

EIGENAAR: Joseph Umathum
WIJNMAKER: Joseph Umathum
WIJNGAARD: 19 ha
PRODUCTIE: geen gegevens
beschikbaar
DRUIVENSOORTEN: St.-Laurent,
zweigelt
GEMIDDELDE LEEFTIJD WIJNSTOK-
KEN: 20 jaar
PERCENTAGE NIEUW HOUT: 30%
AANBEVOLEN RECENT WIJNJAAR:
1992
AANBEVOLEN COMBINATIES: kalfs-
vlees in roomsaus

In de wijngaard staat respect voor de natuur voorop. De grond wordt zo natuurlijk mogelijk behandeld en het gras tussen de wijnstokken blijft staan voor de fauna. De druiventrossen worden uitgedund en zwakke scheuten verwijderd om de opbrengst te beperken. De oogst gebeurt handmatig.

Joseph Umathum tussen zijn wijnstokken.

PROEFRAPPORT

UMATHUM, ST.-LAURENT VOM STEIN 1992

Donker pruimenrood, geur van wilde bessen, kruiden en vanille; nieuw hout geeft de rijpe bessensmaken een vleugje zoetheid – smaakvol gedaan, want de wijn is verfijnd met veel lengte, maar zeker niet te extractrijk.
Voortreffelijk.

Categorie ★★★★

Dezelfde zorg is zichtbaar in de wijnmakerij, waar even perfectionistische principes gehanteerd worden als bij de beste wijnproducenten van Bordeaux en Bourgogne. Door de trage gisting ontstaan subtiele, compacte en evenwichtige wijnen. Umathums beste wijn, de St.-Laurent 1992 van de Vom Stein-wijngaard, is een heel opwindende rode wijn die onlangs op een internationale wijnproeverij werd aangezien voor een Ruchottes-Chambertin – *méthode ancienne*, uiteraard.

Joseph Umathum in zijn kelder.

WARWICK ESTATE

P.O. Box 2, Muldersvlei, 7607 Zuid-Afrika
Tel: (+27) 21 884 4410 Fax: (+27) 21 884 4025
Bezoekers: ma-vr 8.30-16.00 uur

*I*n een schitterende vallei tussen Paarl en Stellenbosch ligt Warwick Estate, ooit deel van een enorm 18e-eeuws boerenbedrijf met de naam 'Good Success'. Oprichter van Warwick was kolonel Alexander Gordon, die zijn deel van het bedrijf noemde naar het Warwickshire-regiment, waar hij tijdens de Boerenoorlog leider van was. Zoals veel van zijn landgenoten bleef hij in Zuid-Afrika en werd boer.

Stan Ratcliffe, de huidige eigenaar, kocht Warwick in 1964, toen er nog geen wijnstok op het land stond. Hij was zo slim om cabernet sauvignon aan te planten, een soort die het uitstekend doet in deze streek. Na de komst van

EXTRA INFORMATIE

EIGENAARS: Stan en Norma Ratcliffe
WIJNMAKER: Norma Ratcliffe
WIJNGAARD: 35,5 ha
PRODUCTIE: 15.000 dozen per jaar
DRUIVENSOORTEN: cabernet sauvignon, merlot, cabernet franc
PERCENTAGE NIEUW HOUT: 25%
AANBEVOLEN RECENT WIJNJAAR: 1995
AANBEVOLEN COMBINATIES: gebraden fazant, gestoofde parelhoen, biefstuk *au poivre*
PLAATSELIJK RESTAURANT: Cape Grace Hotel, Kaapstad

zijn vrouw Norma in 1971 werd
Stan naast wijnbouwer ook wijnmaker. Norma begon aan een studie
vinologie. Na vele reisjes naar Bordeaux besloot ze haar eigen kelder te
bouwen en rode wijn in bordeaux-
stijl te maken. In 1980 plantten ze
merlot en cabernet franc, en rond
1985 waren de wijnstokken volledig
in productie. De Ratcliffes maken
wijn op traditionele wijze; ze persen
de druiven stevig in een mechanische
pers om er veel smaak en tannine uit

PROEFRAPPORT

**WARWICK ESTATE
CABERNET FRANC
1995**

Zeer diep, sprankelend donkerrood, typisch voor een groot
jaar; weelderige bramen met
een vleugje kruiden in geur en
smaak; mondvullende, rijpe
tannine, diepgang en een
uitstekende balans. Beste jaar
tot nu toe.

Categorie ★★★

te krijgen. Ze gebruiken geen kunstmatige klaringsmiddelen en

laten de wijn op natuurlijke wijze tot rust
komen voor hij wordt overgeheveld. De
wijnen voor de mengwijn worden apart
behandeld en rijpen vóór de assemblage
9-12 maanden in *barriques* van 221 l. In
1986 maakten de Ratcliffes Warwick Tri-
logy, hun eerste bordeaux-mengwijn in de
klassieke stijl van de Médoc. Overheerlijk, zeker, maar hun interessantste wijn is
de cabernet franc, die barst van het fruit.

Dit is een van de weinige geslaagde voorbeelden van een onver-
sneden wijn van deze soort buiten Frankrijk.

Warwick Estate ligt in een vallei tussen Paarl en
Stellenbosch.

RIJZENDE STERREN

DOMAINE PAUL BRUNO

Avenida Consistorial 5090, Casila 213, Correo 12
La Reina Pendalolen (Santiago) Chili
Tel: (+56) 2 284 5470 Fax: (+56) 2 284 5469
Bezoekers: op afspraak

*B*ordeaux gaat naar Chili. In 1990, na 6 jaar zorgvuldig onderzoek, kochten Bruno Prats, eigenaar van Château Cos d'Estournel, en Paul Pontallier, directeur van Château Margaux, 63 ha heuvelland in de buurt van Santiago. Doel was om een van de beste rode wijnen van de Nieuwe Wereld te maken. Een derde partner, Felipe de Solminihac, een Chileen van Franse afkomst, werd aangetrokken als manager van deze wijnmakerij met als handelsnaam Viña Aquitania.

Het domaine ligt in Quebrada de Macul, in de Maipo-vallei aan de voet van het Andes-gebergte. Deze vallei is voor Chili wat de Haut-Médoc is voor

EXTRA INFORMATIE

EIGENAAR: Viña Aquitania

WIJNMAKERS: Bruno Prats, Paul Pontallier en Felipe de Solminihac

WIJNGAARD: 63 ha

PRODUCTIE: 25.000 dozen per jaar

DRUIVENSOORTEN: cabernet sauvignon, merlot

GEMIDDELDE LEEFTIJD WIJNSTOKKEN: 50 jaar

PERCENTAGE NIEUW HOUT: 30%

AANBEVOLEN RECENTE WIJNJAREN: 1995, 1994

AANBEVOLEN COMBINATIES: lamsstoofpot, licht gekruide, Indiase gerechten

Bordeaux. De bodem van de wijngaard is alluviaal met een toplaag van ronde kiezelstenen die de warmte van de zon vasthouden en de rijping bevorderen. Toch zijn de nachten koel, waardoor het groeiseizoen lang duurt. De wijngaard bestaat met name uit cabernet sauvignon, met een klein percentage merlot voor toekomstige wijnen. Zoals overal in Chili worden de druiven niet geënt en hoogstens met wat zwavel behandeld, want er zijn hier –nog– geen ziekten en plagen.

Het domaine streeft ernaar de inheemse, uitgesproken fruitige charme van Chileense wijnen te behouden, maar ze tegelijkertijd meer concentratie en bewaarcapaciteit te geven. De druiven worden handmatig geplukt en volledig ontdaan van hun steeltjes. De gisting vindt plaats in roestvrijstalen tanks; de most blijft daarna nog 2 weken in contact met de schillen. Sinds 1995 (het tweede productiejaar van dit nieuwe team) rijpen de wijnen op Frans eiken (Allier). Kenmerkend voor de cabernets van Domaine Paul Bruno is dat de tanninestructuur schuil gaat achter de rijkdom van het fruit. Ze spreken daardoor iedereen aan, maar hebben toch een stevige ruggengraat – een sterke combinatie, vooral voor mensen die houden van een karaktervolle wijn bij een goede maaltijd.

> **PROEFRAPPORT**
>
> ## DOMAINE PAUL BRUNO CABERNET SAUVIGNON 1995
>
> Stralend, jong, paarsrood; neus van cassis met spoortje rook; licht houtig, middelzwaar, zachte mengeling van heerlijk boomgaardfruit en een vleugje mint. Heerlijk.
>
> Categorie ★★★

CABALLO LOCO

Valdivieso, Lontus, Chili
Niet geopend voor publiek

*C*aballo Loco betekent 'gek paard' in het Spaans; het is de bijnaam van de hyperactieve Jorge Cordech, drijvende kracht achter de wijnen van Valdivieso. Deze dynamische Chileense onderneming heeft de wijnwereld in beroering gebracht met enkele prachtige, vatgerijpte cabernets, merlots en pinot noir reserva's. En nu, na jaren hard werken, komt Valdivieso met Caballo Loco, de prestigeuze *cuvée* van de wijnmakerij: het trotse bewijs dat Zuid-Amerika zich met de beste van de wereld kan meten als het om rode wijn gaat.

Om een optimale kracht en finesse te verkrijgen, is Caballo Loco geassembleerd

EXTRA INFORMATIE

EIGENAAR: Jorge Cordech
WIJNMAKER: Philippe Debrus en Paul Hobbs
WIJNGAARD: niet gespecifieerd
PRODUCTIE: 5000 dozen per jaar
DRUIVENSOORTEN: mengeling van eersteklas soorten (niet gespecifieerd)
GEMIDDELDE LEEFTIJD WIJNSTOK-KEN: minstens 50 jaar
PERCENTAGE NIEUW HOUT: 75% en meer
AANBEVOLEN RECENTE WIJN: Caballo Loco No. 1
AANBEVOLEN COMBINATIES: *gigot* van zuiglam met bonen

Jorge Cordech (links), eigenaar van Caballo Loco.

uit een reeks edele druivensoorten
(niet gespecifieerd, maar vrijwel zeker
veel cabernet en merlot). Het is een
mengwijn uit meerdere topjaren. De
wijnmakers van Valdivieso gebruiken
dus alleen de allerbeste druiven. Deze
wijn kan jong gedronken worden,
maar hij verdient het om geruime tijd
te worden opgelegd. Paul Hobbs, de
Californische adviseur die ook voor
Catena (*zie aldaar*) werkt, en de Franse wijnmaker Philippe Debrus werk-
ten in 1997 samen aan dit project en
zijn van plan ermee door te gaan.

CAPE MENTELLE

P.O. Box 110, Margaret River, West-Australië 6285
Tel: (+61) 97 57 32 66 Fax: (+61) 97 57 32 33
Bezoekers: op afspraak

*V*an alle rijzende sterren in de Nieuwe Wereld is David Hohnen beslist de oudste. Deze zeer succesvolle Australische wijnmaker begon in 1976 met Cape Mentelle, samen met zijn broer Mark. De plek bij Margaret River bleek ideaal, want het koele klimaat van de Indische Oceaan en de kiezelgrond leverden al snel enkele uitstekende rode wijnen op, met name een fruitige en kruidige cabernet en shiraz. Hohnen was niet van plan om op zijn lauweren te gaan rusten en kocht de Cloudy Bay-wijngaarden in Marlborough (Nieuw-Zeeland), waar men eind jaren '80 een sauvignon blanc van ongekende klasse produceerde.

EXTRA INFORMATIE

EIGENAAR: David en Mark Hohnen
WIJNMAKER: David Hohnen
WIJNGAARD: 101 ha
PRODUCTIE: 30.000 dozen per jaar
DRUIVENSOORTEN: cabernet sauvignon, merlot, shiraz, zinfandel
GEMIDDELDE LEEFTIJD WIJNSTOKKEN: 20 jaar
PERCENTAGE NIEUW HOUT: 50% en meer
AANBEVOLEN RECENTE WIJNJAREN: 1995, 1991
AANBEVOLEN COMBINATIES: gegrild en gebarbecued vlees, gebraden eend

De rode wijnen van Cape Mentelle zijn bedoeld om jong te drinken. De jonge cabernet- en shiraz-wijnen zitten vol zwart fruit en levendige tannine, maar ze rijpen ook heel mooi. De cabernet uit 1979 heeft een aroma van gebrande koffie en zwarte pruimen, een halfzware smaak en een afdronk die aan tawny-port doet denken. De cabernet uit 1982 is voortreffelijk vol cassissmaken, versterkt door een soepel tanninegehalte; deze wijn ontwikkelt zich nog tot ver in de 21e eeuw. De shiraz van de laatste jaren is ook zeer geslaagd. De 1993 is heerlijk, vol wilde bessen en rook in de neus en een rijke, plumpuddingachtige smaak, eerst zoet, maar met een mooie, droge afdronk. Hohnen maakt ook uitstekende zinfandel (met name de 1995 en 1988), barstensvol zwarte kersen – past als geen ander bij gebraden eend.

> ## PROEFRAPPORT
> ## CAPE MENTELLE SHIRAZ 1995
>
> Donker roodpaars, bijna ondoorzichtig; prachtige geur van frambozen en pruimen met een spoortje room; toch is dit een volwassen wijn met een goede structuur en een taai tanninegehalte, die een interessante ontwikkeling op de fles garandeert in de komende 10 jaar. Geproefd in januari 1998.
>
> Categorie ★★★

David Hohnen, directeur-beheerder van Cape Mentelle.

CHAMPY PÈRE ET CIE.

5 rue du Grenier à Sel, 21202 Beaune, Frankrijk
Tel: (+33) 3 80 24 92 30 Fax: (+33) 3 80 24 97 40
Bezoekers: dagelijks om 10.30 uur

Het is misschien een beetje vreemd om een eerbiedwaardig oud bourgogne-huis een rijzende ster te noemen. Champy is vrijwel zeker de oudste *négociant-éleveur* van Beaune; het bedrijf bezit nog een eerste prijs-lijst uit 1720. Het grootste deel van deze eeuw was het in bezit van kolonel Merat, die ervoor gezorgd heeft dat de kantoren en kelders uit de tijd van Napoleon III bewaard bleven. Antiekliefhebbers kunnen hier onder ande-re een dubbelwandige, koperen pot be-wonderen, lange tijd gebruikt om most te verhitten, een prijslijst uit 1882 met

EXTRA INFORMATIE

EIGENAAR: Henry Meurgey & Co.
WIJNMAKER: Michel Écard
WIJNGAARD: 6 ha
PRODUCTIE: 70.000 dozen per jaar
DRUIVENSOORT: pinot noir
GEMIDDELDE LEEFTIJD WIJNSTOK-KEN: 30 jaar
PERCENTAGE NIEUW HOUT: 30% of meer, afhankelijk van wijnjaar en wijn
AANBEVOLEN RECENTE WIJNJAREN: 1996, 1995, 1993, 1991, 1990
AANBEVOLEN COMBINATIES: borst van Bresse-duif, scharrelkip
PLAATSELIJK RESTAURANT: Le Jardin des Remparts, Beaune

De kelders van Maison Champy.

een *Richebourg gelé* (het koud weken van de most en de schillen is blijkbaar niets nieuws), en een *pièce de la résistance*, een enorm eiken vat, omgebouwd tot proefruimte met slordig gegraveerde namen op de wandlampen –Meursault, Volnay, Nuits–, wat tal van betoverende lichteffecten creëert, pure kitsch! Na de dood van Merat werd het wijngoed gekocht door Maison Louis Jadot, die de wijngaarden behield, maar het bedrijf in 1990 doorverkocht aan de wijnmakelaar Henry Meurgey en zijn familie.

De Meurgeys houden alles in de gaten. Niemand weet beter dan zij wie de beste wijnen van Bourgogne maakt en wie de mindere. Hun bedrijf, DIVA, verzorgt de export voor 35 van de beste *domaines* van de Côte d'Or en voor 150 kleinere producenten. Eind jaren '80 wilde de familie een eigen stempel op

De proefruimte van Champy, gemaakt van een
enorm eiken vat.

Het verpakken van wijnen op Champy.

haar wijnen drukken en toen ze de kans kreeg om een klein, traditioneel huis als Champy te kopen, hapte ze meteen toe. Het bedrijf wordt geleid door Henry's zoon Pierre, die even toegewijd is aan goede bourgogne als zijn vader.

In hun assortiment bourgognes komen de karakteristieke smaken van de Côte d'Or goed tot uiting. Hier smaakt Corton naar Corton en Gevrey naar Gevrey; de wijnen spreken voor zich en zijn niet in het keurslijf van een 'huisstijl' geperst. Alle Champy-wijnen worden op een kundige manier behandeld en beschikken over de heerlijke aroma's en uitgesproken zachte smaak van een klassieke rode bourgogne – op zijn best, de spannendste rode wijn ter wereld. Een proefsessie in september 1997 van een selectie 1996-ers uit het vat heeft me ervan overtuigd dat Champy in dit mooie, overvloedige jaar enkele zeer indrukwekkende wijnen heeft geproduceerd.

PROEFRAPPORT

CORTON BRESSANDES 1995

Helder, levendig kersenrood, duidelijk pinot-fruit; heel jong met nog een lang leven te gaan, maar nu al puur, open en expressief. De zachte textuur verhult het stevige, rijpe tannine-gehalte en een kruidigheid die later naar voren zullen komen. Subtiel houtsmaakje, elegant. Drinken vanaf 2001.

Categorie ★★★

BODEGAS PALACIO
DE LA VEGA

31263 Dicastello Navarra, Spanje
Tel: (+34) 48 52 70 09 Fax: (+34) 48 52 73 33
Bezoekers: op afspraak

*B*ij deze *bodega* in het schitterende, neo-gothische Palacio van Comtessa de la Vega del Pozo gaan moderne vinificatietechnieken hand in hand met traditie. Het landgoed, gelegen in Dicastillo in het hart van Navarra, domineert het omliggende platteland en de nieuwe *bodega* heeft nu al een verdienstelijke reputatie voor goede Navarra-wijnen.

Navarra ligt nog geen 3 uur rijden van Bordeaux, en het is dan ook niet verwonderlijk dat de klassieke Franse cabernet sauvignon maar liefst 70% uitmaakt van de assemblage voor crianza.

EXTRA INFORMATIE

EIGENAAR: Inversiones Arnotegul, S. L.

WIJNMAKER: Alicia Eyaralar

WIJNGAARD: 303,5 ha

PRODUCTIE: 100.000 dozen per jaar

DRUIVENSOORTEN: cabernet sauvignon, merlot, tempranillo, chardonnay

GEMIDDELDE LEEFTIJD WIJNSTOKKEN: geen gegevens beschikbaar

PERCENTAGE NIEUW HOUT: 50% of meer (Amerikaans en Frans eiken)

AANBEVOLEN RECENT WIJNJAAR: 1994

AANBEVOLEN COMBINATIES: gebraden kalkoen, gekruid lamsvlees, schapenkaas

Deze rode wijn, zacht en verfijnd door 30% tempranillo, valt qua prijs in de middenklasse (onder *f* 20,- per fles). Hij is zacht genoeg om bij kalkoen te drinken, maar heeft ook genoeg karakter voor een kruidig lamsvleesgerecht of scherpe schapenkaas. De druiven komen van kalksteen-kiezelgronden. De wijn gist 10 dagen in roestvrij staal en rijpt dan 12 maanden op Amerikaans eiken.

De *bodega* maakt ook een traditionele, 100% tempranillo-wijn met de intense smaak van bessen, een volle, zachte merlot, gerijpt op Frans eiken, en een aantrekkelijke, evenwichtige chardonnay met een uitgesproken citrus-appelkarakter.

> ### PROEFRAPPORT
> ### PALACIO DE LA VEGA CRIANZA 1994
>
> Mooi, vol robijnrood; lovenswaardig bouquet van klein, rood fruit met een vleugje zoet eikenhout; eerste impressie van gemakkelijke, volle zachtheid, die wordt versterkt door een mooi tanninegehalte. Blijft lekker tot 2000. Uitstekende koop.
>
> Categorie ★★★

CHÂTEAU DU CÈDRE

Bru, 46700 Vire sur Lot, Frankrijk
Tel: (+33) 5 65 36 53 87 Fax: (+33) 5 65 24 64 36
Bezoekers: op afspraak, ma-vr 10.00-16.00 uur

*D*e krachtige rode wijn van Cahors heeft een geweldige reputatie – echt iets voor bij een dampende *pot au feu* op een koude winteravond. Pascale en Jean-Marc Verhaeghe, beiden oenoloog en *vigneron*, maken een van de beste Cahors-wijnen die ik ken op het wijngoed van hun grootvader in Vire sur Lot. De wijngaard werd na de verwoestende vorst van 1956 geleidelijk herbeplant en staat er nu weer goed bij. De beste bodemtypen van de *appellation* Cahors (rotsachtige kalksteen-klei en rode zandsteen) zijn hier te vinden – heel anders dan in het laagland eronder, dat slappe wijnen oplevert.

EXTRA INFORMATIE

EIGENAAR: Pascale en Jean-Marc Verhaeghe

WIJNMAKER: Pascale Verhaeghe

WIJNGAARD: 25 ha

PRODUCTIE: 12.000 dozen per jaar

DRUIVENSOORTEN: 80% malbec; 10% merlot; 10% tannat

GEMIDDELDE LEEFTIJD WIJNSTOKKEN: 25 jaar

PERCENTAGE NIEUW HOUT: ca. 33%

AANBEVOLEN RECENTE WIJNJAREN: 1994, 1993

AANBEVOLEN COMBINATIES: *pot au feu*, gestoofde haas, scherpe oude kazen

PLAATSELIJKE RESTAURANTS: Le Balance, Cahors; Le Pont de l'Ousse, La Cave

De Cuvée Prestige, afkomstig van 13 ha wijnstokken van gemiddeld 20 jaar oud, bestaat uit 90% malbec en 10% tannat.De wijnbereiding gebeurt op traditionele wijze: de druiven worden geheel ontdaan van hun steeltjes en handmatig geplukt, ze gisten bij hoge temperaturen van 32 °C en blijven lang (tot 1 maand) in het vat. Ook de hoed van gistende schillen wordt op traditionele wijze omlaag geduwd. Deze factoren leveren, in combinatie met lage opbrengsten, een majestueuze rode wijn op – krachtig maar soepel, met een houdbaarheid van 10-15 jaar. De beste recente wijnen zijn de 1993, ferm met veel lengte, en de 1994, weelderig en complex. Ze zijn bovendien niet duur vergeleken met grote bordeaux- of Rhône-wijnen. De broers maken ook een heerlijke witte wijn.

PROEFRAPPORT

CAHORS CUVÉE PRESTIGE 1994

Prachtige kleur, blijvend, glanzend donkerrood; fraaie neus, expressief zwart fruit, een vleugje teer, volmaakt in balans met het hout; vol en krachtig van smaak, soepel tanninegehalte, strenge afdronk; ideaal bij gerechten met een sterke smaak. Uitstekend.

Categorie ★★★★

ECHEVERRÍA

Avenida Amerigo Vespucci Norte 568,
Los Condes, Santiago, Chili
Tel: (+56) 2 207 43 27 Fax: (+56) 2 207 43 28
Bezoekers: op afspraak

*D*e familie Echeverría was het grootste deel van deze eeuw leverancier van druiven en bulkwijnen voor vooraanstaande Chileense wijn-producenten, maar in 1992 begon ze met het bot-telen van haar mooiste wijnen, hoofdzakelijk voor de export. Dit bedrijf hecht grote waarde aan kwaliteitscontrole in elk stadium van de pro-ductie; de wijngaard wordt goed verzorgd en de oogstdatum zorgvuldig bepaald.

De wijnmakerij ligt in de buitenwijken van Molina in de centrale vallei van Chili, 192 km ten zuiden van Santiago. De 76 ha grote wijngaard, die voor de helft is beplant met cabernet sauvignon, bestaat uit één stuk land, wat een homogene stijl en kwa-

EXTRA INFORMATIE

EIGENAAR: familie Echeverría
WIJNMAKER: familie Echeverría
WIJNGAARD: 76 ha
PRODUCTIE: 8500 dozen per jaar
DRUIVENSOORT: cabernet sauvignon
GEMIDDELDE LEEFTIJD WIJNSTOK-KEN: 50 jaar
PERCENTAGE NIEUW HOUT: 40%
AANBEVOLEN RECENT WIJNJAAR: 1996
AANBEVOLEN COMBINATIES: gebra-den wit vlees, gegrild rundvlees, wild in stoofschotels met rode wijn

liteit oplevert, en heeft een vrij arme leem-kleibodem met een goed afwaterende onderlaag van kiezels.

Het klimaat is mediterraan met grote, gunstige temperatuurverschillen tussen dag en nacht (zo'n 20 °C). De druiven worden handmatig geplukt en voorzichtig in kleine kisten van 15 kg inhoud vervoerd naar de wijnmakerij. De most van de cabernet-druiven gist 7-10 dagen in eiken vaten van 30.000 l en blijft dan nog 2 weken in contact met de schillen. De wijnen rijpen 24 maanden in Frans eikenhouten vaten van 220 l en daarna nog 8 maanden op de fles.

Deze perfectionistische manier van wijnmaken blijkt in het glas. De Echeverría Cabernet Sauvignon Family Reserve 1993 is een wijn van wereldklasse met een boterzachte smaak en grote complexiteit, een van de mooiste verrassingen die ik voor dit boek heb geproefd.

> ### PROEFRAPPORT
> ### ECHEVERRÍA CABERNET SAUVIGNON FAMILY RESERVE 1993
>
> Mooi vol, helder robijnrood; uitnodigende neus van cassis en room, exquise, zachte textuur en glorieuze, pure, genuanceerde smaak, teer maar met lengte. Bij blind proeven gemakkelijk te verwarren met een mooie bourgogne of rioja alta, al is het cassisfruit typerend voor een cabernet.
>
> Categorie ★★★★

Oude cabernet sauvignon-wijnstokken in Chili.

BODEGAS ESMERALDA

Guatemala 4565 C. JP. 1425 Buenos Aires, Argentinië
Tel: (+54) 1 833 2080 Fax: (+54) 1 832 3086
Bezoek aan de Mendoza-wijngaarden: op afspraak

*D*r. Nicolas Catena, telg uit een oude wijnfamilie uit Mendoza en eigenaar van Bodega Esmeralda, is een van de pioniers van de Argentijnse wijnindustrie. In de jaren '70 was hij marktleider in de verkoop van goedkope bulkwijnen. De afgelopen 20 jaar is hij echter van koers veranderd en probeert hij in Mendoza een cabernet sauvignon, malbec en chardonnay te maken die zich met de beste van Californië en Europa kunnen meten.

In 1988 ging hij samenwerken met Paul Hobbs, de talentvolle wijnmaker van wijngoed Simi in Californië, en ontdekte dat cabernets uit Mendoza zeer complex zijn met intense aroma's en een elegante smaak. Ook raakte hij ervan

EXTRA INFORMATIE

EIGENAAR: dr. Nicolás Catena
WIJNMAKER: José Galante
WIJNGAARD: 182 ha
PRODUCTIE: 20.000 dozen per jaar
DRUIVENSOORT: cabernet sauvignon
GEMIDDELDE LEEFTIJD WIJNSTOKKEN: 15 jaar
PERCENTAGE NIEUW HOUT: 50% of meer
AANBEVOLEN RECENTE WIJNJAREN: 1995, 1991
AANBEVOLEN COMBINATIES: gebarbecued vlees, stoofpotten, ovenschotels en scherpe kazen

De Agrelo-wijngaard van Bodega Esmeralda.

overtuigd dat zijn uitstekende Agrelo-wijngaard bij lage opbrengsten een wijn kon voortbrengen met eenzelfde bewaarcapaciteit als een goede bordeaux of rode topwijn uit Napa Valley. Het enige probleem was dat Argentijnse wijn het imago had van goedkoepe foezel voor *f* 8,- per fles. Hij kreeg daarom het advies om een cabernet te maken die smaakte als een Californische wijn van *f* 50,-, maar slechts *f* 30,- kostte. En dat is wat hij deed. De Catena Cabernet 1991 kwam op de

PROEFRAPPORT
ALAMOS RIDGE CABERNET SAUVIGNON 1995

Dramatische, uitnodigende kleur, diep pruimenrood met een vleugje paars, geeft een indruk van de kracht van de wijn; warme, landelijke neus, 'blind' te verwarren met een wijn uit het zuidelijke Rhône-gebied, intense geuren van gestoofd fruit (pruimen, bramen); volle, genuanceerde smaak, brutaal en mooi rond, maar met een prettig tanninegehalte in de afdronk.

Uitstekende koop.

Categorie ★★★★

markt en trok meteen de aandacht van de wijnpers.

Recentelijk bracht Catena de Alamos Ridge Cabernet Sauvignon op de markt voor nog geen *f* 20,- per fles, een van de beste wijnen ter wereld voor dat geld. Voor beide wijnen wordt handmatig geoogst, de gegiste wijnen blijven een maand in contact met de schillen en rijpen 9 maanden op vaten van het beste Franse eiken. Na nog eens 2-3 jaar rijpen op de fles komen ze op de markt.

Wijnmaker José Galanté.

TIM GRAMP WINES

Mintaro Road, Watervale, Zuid-Australië 5452
Tel: (+61) 8 84 31 33 38 Fax: (+61) 8 84 31 32 29
Bezoekers: door de week en op feestdagen, 10.30-16.30 uur

*M*et slechts 2 ha eigen oude wijnstokken en een zorgvuldige inkoop bij een paar drui-venboeren in de Southern Vales is Tim Gramp een van de beste kleine producenten van Aus-tralië. Hij maakt wijnen met een karakter waar de grote producenten alleen maar van durven dromen. In 1996 werd ik aangenaam verrast door zijn sappige, warme MacLaren Vale Grenache, die minstens zo lekker is als andere grenache-wijnen van buiten de Rhône-vallei.

Gramp maakt een uitstekende caber-net sauvignon van zijn 20-jarige wijn-

EXTRA INFORMATIE

EIGENAAR: Tim Gramp

WIJNMAKER: Tim Gramp

WIJNGAARD: 2 ha

PRODUCTIE: 55 vaten per jaar

DRUIVENSOORTEN: grenache, shiraz, cabernet sauvignon

GEMIDDELDE LEEFTIJD WIJNSTOK-KEN: 20 jaar

PERCENTAGE NIEUW HOUT: 80% (voor cabernet sauvignon en shiraz)

BESTE RECENTE WIJNJAREN: 1996, 1994

AANBEVOLEN COMBINATIES: Thaise eend met rode currypasta (grenache)

PLAATSELIJK RESTAURANT: Mintaro Mews, Mintaro

PROEFRAPPORT
McLAREN VALE
GRENACHE 1996

Glanzend, middelrobijnrood; deze
natuurlijke kleur duidt op een
mooie, goede wijn; heerlijke,
warme accenten van grenache-fruit
in geur en smaak; eerst sappig en
zeer toegankelijk, maar een
complexe kruidigheid en een beetje
gebrand eikenhout houden na
de eerste, heerlijke fruitigheid
de belangstelling vast.
Een betoverende wijn voor
alle seizoenen.
Drinken tot 1999.

Categorie ★★★★

stokken en daarnaast een mooie shiraz van inge-kocht fruit. De druiven gis-ten in open vaten van zo'n 7000 l tot de schillen droog zijn. De shiraz en de cabernet sauvignon rijpen op Amerikaans eiken. De wijnen van Gramp werden in het begin alleen geëx-porteerd naar Maleisië, maar zijn nu ook in Euro-pa verkrijgbaar. Thaise eend met rode curry en grenache-wijn vormt een hemelse combinatie.

TENUTA DELL'ORNELLAIA

Via Bolgherese 191, 57020, Italië
Tel: (+39) 565 76 21 40 Fax: (+39) 565 76 21 44
Bezoekers: op afspraak

*L*odovico Antinori had bij zijn geboorte al een voorsprong. De Antinori's behoren al eeuwenlang tot de Florentijnse koopliedenadel en werden in 1385 lid van het wijnkopersgilde. Sindsdien heeft er altijd wel één lid van de familie in de wijnhandel gezeten. De familielandgoederen in Toscane werden in de 18e en 19e eeuw flink uitgebreid en de familie deed veel ervaring op in de wijnmakerij. Begin deze eeuw richtte ze een invloedrijke handelsonderneming op. Markies Lodovico was een tijdje werkzaam in het familiebedrijf, maar be-

EXTRA INFORMATIE

EIGENAAR: markies Lodovico Antinori
WIJNMAKER: Tibor Ga'l
WIJNGAARD: 136,5 ha
PRODUCTIE: 29.000 dozen per jaar (waarvan 1500 dozen Masseto)
DRUIVENSOORTEN: 42% cabernet sauvignon; 40% merlot; 5% cabernet franc; verder sauvignon blanc
GEMIDDELDE LEEFTIJD WIJNSTOKKEN: 35 jaar
PERCENTAGE NIEUW HOUT: Ornellaia 33%; Masseto 100%
AANBEVOLEN RECENTE WIJNJAREN: 1995, 1993, 1990
AANBEVOLEN COMBINATIES: wild, lamsvlees, fazant, kaas
PLAATSELIJKE RESTAURANTS: La Pineta, Scacciapensieri, Gambero Rosso

sloot begin jaren '80 zijn eigen weg te gaan. Hij legde een uitgestrekte wijngaard aan op Tenuta dell'Ornellaia, een familie-
landgoed in Bolgheri aan de Middelandse
Zee, 96 km van Florence. Dit deel van de
Maremma heeft niet alleen een schitterende,
wilde natuur, maar is ook een vruchtbaar
landbouwgebied, een streek met veel potentieel voor wijnproductie. Lodovico's oom,
markies Incisa della Rochetta, had de aandacht van de wijnwereld al op Bolgheri gevestigd met zijn pionierswerk op Tenuta San
Guido en met zijn Sassiciaia (*zie aldaar*), nu
gezien als een van 's werelds grootste rode wijnen.

Lodovico Antinori trad in de voetsporen van zijn oom in het
nabijgelegen Ornellaia, al maakt hij een heel ander type wijn.
Van een aantal internationale autoriteiten op wijngebied
–mannen als Michel Rolland en Danny Schuster– leerde hij dat
de bodem van Bolgheri qua karakter op die van St.-Émilion en
Pomerol in Bordeaux leek en ideaal
was voor de productie van kwaliteitswijn. Het bijzondere van de Ornellaia-
wijngaard –voor Italiaanse begrippen–
is het hoge percentage merlot. De
assemblage voor Antinori's topwijn, de
rode Ornellaia, bevat wel 40% merlot.
Toch komt deze druif het meest tot
haar recht bij de *vigna vecchia* (oude
wijnstokken) van het wijngoed. Sinds
1987 levert dit perceel het ruwe materiaal voor een cuvée van
100% merlot, Masseto genaamd. Ik vind dit qua prijs-kwaliteitverhouding de interessantste, opmerkelijkste wijn uit de kelder. De 1993 (*zie* Proefrapport) is geweldig geslaagd. De
druiven zijn geplukt onder een zonnige septemberhemel. Na de
lange gisting van 18-20 dagen werd de wijn op natuurlijke wijze overgeheveld in tanks. Daarna heeft hij 2 jaar gerijpt in nieuwe *barriques*. Het resultaat is een wijn met structuur, zeer
zuiver fruit en een prachtige balans.

PROEFRAPPORT
MASSETO 1993

Donker, jeugdig paarsrood;
zeer pure, primaire merlot-
aroma's; fraai gebalanceerde
smaak, vleugje drop, het hout
is mooi geïntegreerd. Zeer
lange afdronk. Klasse.

Categorie ★★★★

CHÂTEAU PHÉLAN SÉGUR

33180 St.-Estèphe, Frankrijk
Tel: (+33) 5 56 59 30 09 Fax: (+33) 5 56 59 30 04
Bezoekers: alleen op afspraak

*P*hélan Ségur, een prachtig, vroeg 19e-eeuws landhuis, ligt hoog aan de zuide-lijke kant van St.-Estèphe en kijkt uit op de Gironde-monding. Het landgoed werd ooit opgericht door Frank Phélan, een Ierse zaken-man die naar Bordeaux emigreerde om wijn-bouwer te worden. De fraai geïntegreerde architectuur van het *château* en de bijgebou-wen met kelders getuigen van Phélans romantische beeld van een wijngoed.

EXTRA INFORMATIE

EIGENAAR: Xavier Gardinier

WIJNMAKER: Thierry Gardinier

WIJNGAARD: 65,5 ha

TWEEDE WIJN: Frank Phélan

PRODUCTIE: 25.000 dozen per jaar

DRUIVENSOORTEN: 60% cabernet sauvignon; 35% merlot; 5% cabernet franc

GEMIDDELDE LEEFTIJD WIJNSTOK-KEN: 30 jaar

PERCENTAGE NIEUW HOUT: tot 50%

AANBEVOLEN RECENTE WIJNJAREN: 1996, 1995, 1990, 1989

AANBEVOLEN COMBINATIES: rund- en lamsvlees, wild

PLAATSELIJK HOTEL EN RESTAU-RANT: Château Cordeillan-Bages, Hôtel de France et d'Angleterre, beide in Pauillac

Het wijngoed maakte begin jaren '80 een erg slechte periode door en werd in 1985 door de familie Delon verkocht aan Xavier Gardinier, voormalig hoofd van Champagne Pommery. Gardinier, een man van hetzelfde slag als Phélan, begon meteen met een fikse hervorming van de druiventeelt. Hij erfde een serie wijnen (1982-1985) met

PROEFRAPPORT

CHÂTEAU PHÉLAN SÉGUR 1995

Donker, vol robijnrood; elegant en levendig, niet te veel extract; heerlijke kruiden en cassis in de neus; middelzwaar, soepel, *gras*-achtig, grote charme, onderstreept door een rijp tanninegehalte. Zeer compleet.

Categorie ★★★

een chemisch smaakje, haalde ze meteen uit de handel en klaagde een bekende bestrijdingsmiddelenproducent aan omdat diens producten er de oorzaak van zouden zijn.

Sindsdien is het wijngoed in ere hersteld en ontwikkelt het zich als maker van een van de beste wijnen van St.-Estèphe. De wijngaard ligt op tamelijk zandige grond tussen Montrose en Calon Ségur en levert druiven met een bijzonder verfijnde, soepele smaak. De hoge leeftijd van de wijnstokken (zo'n 60 jaar) geeft de wijnen diepte en complexiteit. De oenoloog uit Bordeaux die het wijngoed adviseert, noemt Phélan-Ségur het St.-Julien van St.-Estèphe.

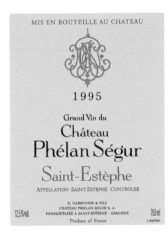

MIS EN BOUTEILLE AU CHATEAU

1995

Grand Vin du

Château
Phélan Ségur
Saint-Estèphe

APPELLATION SAINT-ESTEPHE CONTROLEE

X. GARDINIER & FILS
CHATEAU PHELAN SEGUR S. A.
PROPRIÉTAIRE A SAINT-ESTEPHE · GIRONDE

12,5%vol.   750 ml

Produce of France

Thierry Gardinier, de zoon van Xavier, maakt de wijn met een scherp oog voor elk detail van de vinificatie. Het land wordt op traditionele wijze bewerkt, het onkruid wordt bijvoorbeeld met de hand verwijderd. De opbrengst is laag. De druiven worden handmatig geplukt, in kleine mandjes gedaan en vóór verwerking op een lopende band gecontroleerd op rotting. De gisting vindt

plaats in kleine, roestvrijstalen tanks, zodat de drie druivensoorten (cabernet sauvignon, merlot en cabernet franc) apart
op ras en leeftijd opgelegd kunnen worden. Het traditionele
gebruik (in Bordeaux) om gistende wijn rond te pompen
zodat de hoed nat blijft, wordt spaarzaam toegepast, want
volgens Thierry wordt de tannine in de wijn hierdoor bena-
drukt. De wijn wordt niet gefilterd voor hij op het vat gaat;
voor het bottelen wordt hij wel licht gefilterd.

Sinds het wijnjaar 1987 hebben de Gardiniers geen verkeerde stap meer gezet. Het trio 1988, 1989 en 1990 is van
topkwaliteit. De 1991 is een zacht, maar prachtig gestructu-
reerd wonder en de indrukwekkend fruitige 1992 laat zien
wat een strenge druivenselectie kan doen in een verregend
jaar. De sappige, charmante 1995 werd gevolgd door een
veelbelovende 1996 vol rijke, stevige smaken van volmaakt
rijpe cabernet. Met een prijs van nog geen *f* 60,- per fles is
dit misschien wel de beste koop van dat wijnjaar.

Château Phélan Ségur in St.-Estèphe kijkt uit over de
Gironde-monding.

LE PIN

33500 Pomerol, Frankrijk
Tel: (+33) 5 57 51 33 99 Fax: (+33) 5 57 25 35 08
Bezoekers: niet geopend voor het publiek

*D*it is misschien wel de duurste rode bordeaux, maar hij kan niet onder de klassiekers worden geschaard, want het eerste wijnjaar was 1979. Ook blijven sommige wijn-critici hardnekkig zeuren over de sterke houtsmaak die de wijn overheerst. Maar die commentaren zijn wat mij betreft letterlijk de 'zure druiven' in de mond van jaloerse concurrenten die niet zulke buitengewoon hoge prijzen als Le Pin kunnen

vragen. Ik vind de wijnen zeer constant van kwaliteit. Tijdens de gisting laat men de temperatuur oplopen tot 32 °C en dat verklaart (samen met de lage opbrengst) de rijke, soepele, *gras*-textuur en -smaak.

De eerste wijnen zijn prachtig. De 1982 is mooi en complex, de 1983 fraai gebalanceerd en de 1989 zeer exotisch.

De 1990 en 1996 zijn de twee grote wijnen van de jaren '90. Ze zijn heel verschillend: de 1990 is weelderig, soepel en uitnodigend en de 1996 is zeer geconcentreerd van smaak.

EXTRA INFORMATIE

EIGENAAR: Jacques Thienpoint
WIJNMAKER: familie Thienpoint
WIJNGAARD: 2 ha
PRODUCTIE: 600 dozen per jaar
DRUIVENSOORTEN: 90% cabernet sauvignon; 10% merlot
GEMIDDELDE LEEFTIJD WIJNSTOK-KEN: 18 jaar
PERCENTAGE NIEUW HOUT: 100%
AANBEVOLEN RECENTE WIJNJAREN: 1996, 1990, 1989, 1986, 1983
AANBEVOLEN COMBINATIES: rund- en lamsvlees, wild
PLAATSELIJK RESTAURANT: Plaisance, St.-Émilion

St. Helena Wine Estate

Coutts Island Road, P.O. Box 1 Belfast, Nieuw-Zeeland
Tel: (+64) 3 323 8202 Fax: (+64) 3 323 8252
Bezoekers: op afspraak

*D*it wijngoed heeft de wereld bewezen dat Nieuw-Zeeland een van de weinige plaatsen buiten de Bourgogne is waar pinot noir goed gedijt en een geurige, elegante wijn oplevert die zijn naam eer aandoet. De wijngaard, die net buiten Christchurch op de Canterbury Plains ligt, werd in 1978 aangelegd door Robin en Norman Mundy. In hun beginjaren hadden de Mundy's het geluk Danny Schuster, een van de grootste wijnbouwers ter wereld, als adviseur en ook een poosje als wijnmaker te hebben. Hun Pinot Noir 1982 kreeg lovende kritieken om zijn geur, karakter en structuur – een goed alternatief voor rode bourgogne. Deze temperamentvolle druif

EXTRA INFORMATIE

EIGENAAR: Robin en Bernice Mundy
WIJNMAKER: Petter Evans
WIJNGAARD: 20 ha
PRODUCTIE: 9000 dozen per jaar
DRUIVENSOORT: pinot noir
GEMIDDELDE LEEFTIJD WIJNSTOK-KEN: 20 jaar
PERCENTAGE NIEUW HOUT: 33% of meer
AANBEVOLEN RECENTE WIJNJAREN: 1996, 1995, 1991, 1988
AANBEVOLEN COMBINATIES: wild en rood vlees

voelde zich duidelijk thuis in Canterbury; de zomers op het Zuidereiland zijn lang, de herfst droog en de bodem rijk aan kalk.

Robin Mundy is nu fulltime *vigneron* en leidt het wijngoed met zijn vrouw Bernice. De huidige wijnmaker, Petter Evans, is een waardig opvolger van de grote Schuster. Evans, opgeleid aan *Roseworthy Agricultural College* (de 'Davis' van het zuidelijk halfrond) laat zijn pinot noir zo'n 15 dagen met de schillen gisten en laat de wijn een jaar rijpen op Frans eikenhout. Zeer geslaagde wijnjaren waren 1988 en 1991, maar ook de 1995 en 1996 zijn veelbelovend. St.-Helena is een van de weinige Nieuw-Zeelandse wijnproducenten die pinot gris maken (je proeft de invloed van Danny Schuster) – een tere, bloemachtige witte wijn met een lange, droge afdronk.

St. Helena

CANTERBURY
PINOT NOIR 1996
Produced & Bottled by St Helena Wine Estate
Coutts Island Rd Christchurch
PRODUCE OF NEW ZEALAND
13% vol. ℮ 75cl

Robin Mundy, vigneron, en zijn vrouw Bernice.

VERGELEGEN

P.O. Box 17, Somerset West, 7129 Zuid-Afrika
Tel: (+27) 21 847 1334 Fax: (+27) 21 847 1606
*Bezoekers: dagelijks 9.30-15.00 uur,
behalve op Goede Vrijdag en Kerstmis*

*D*it exquise wijngoed in de Kaap-provincie heeft, zoals de naam suggereert, een tijdloze dromerigheid over zich en weerspiegelt de geschiedenis van de eerste Hollandse en hugenootse emigranten. De eerste eigenaar, Willem Adrienne van der Stel, kreeg het landgoed in 1700 in zijn bezit, toen hij zijn vader Simon van der Stel opvolgde als gouverneur van de Kaap-kolonie.

Willem Adrienne had innovatieve ideeën. In zijn 6 korte jaren op Vergelegen paste hij zijn kennis als botanist, houtvester en tuinbouwer toe, met verstrekkende gevolgen: hij liet een half

EXTRA INFORMATIE

EIGENAAR: Anglo American Farms, Ltd.
WIJNMAKER: Martin Meinert
WIJNGAARD: 104 ha
PRODUCTIE: 40.000 dozen per jaar
DRUIVENSOORTEN: cabernet sauvignon, merlot, cabernet franc
PERCENTAGE NIEUW HOUT: 10%
(Amerikaans eiken)
AANBEVOLEN RECENTE WIJNJAREN:
1997, 1995
AANBEVOLEN COMBINATIES: ragoût van konijn en oesterzwammen
RESTAURANT: Lady Phillips

De majestueuze Tafelberg vormt een fraaie achtergrond voor de wijnmakerij van Vergelegen.

miljoen wijnstokken planten, 18 veestations bouwen en plantte kamfer en eikenbomen. Maar door zijn snelle succes kreeg
hij vijanden en in 1806 werd hij ontslagen door de directeuren
van de Oost-Indische Compagnie, waarna hij terugkeerde naar
Nederland.

Vergelegen verwisselde in 200 jaar veelvuldig van eigenaar.
De familie Theunissen, van 1798-1899 eigenaar, hield de wijngaard in stand. Daarna ging het achteruit met het landgoed, tot
het in 1917 werd gekocht door Sir
Lionel Phillips, een van de 'Rand
Lords', die een fortuin had verdiend
aan de diamantdelving in Kimberley.
Zijn vrouw, Lady Florence, restau-
reerde het huis en de tuinen, maar
besloot alle wijnstokken te verwijderen en er een gemengd akkerbedrijf
van te maken.

In 1987 werd Vergelegen gekocht
door een gemeenschappelijke onderneming bestaande uit de *Anglo American Corporation* en *De Beers*. Een

---

PROEFRAPPORT

VERGELEGEN
CABERNET
SAUVIGNON 1995

Donker kersenrood; heerlijke
fruitsmaak van versgeplukte
bramen; zeer kundig gebruik
van hout; het zoete,
Amerikaanse eikenhout
geeft de wijn een vleugje
chocolade.
Heel elegant.
Categorie ★★★

---

van haar eerste projecten was het opnieuw beplanten van de wijngaarden, en tegen 1997 was er 104 ha in productie. Alle rode wijnen worden gemaakt van zelfgeteelde druiven. Het paradepaardje is cabernet sauvignon die ruim een derde van de wijnstokken in beslag neemt. Andere belangrijke variëteiten zijn merlot, cabernet franc, sangiovese, chardonnay en sauvignon blanc.

De moderne wijnmakerij, hoog op een heuvel boven False Bay gelegen, is een opvallend achthoekig gebouw, ontworpen door de Parijse architecten Patrick Dillon en Jean de Castines, die eerder al de tweedejaars-*chai* van Château Lafite-Rothschild in Pauillac hadden ontworpen. Martin Meinert, de wijnmaker van Vergelegen, werkte in 1992 op Lafite en kon het daar uitstekend vinden met Gilbert Rokvam, de technisch directeur. Bij een tegenbezoek in 1993 gaf Gilbert adviezen voor dat wijnjaar op Vergelegen.

Op Vergelegen wordt zo veel mogelijk gebruik gemaakt van de zwaartekracht: de grote opvangruimte van de druiven bevindt zich boven de pers, die op haar beurt hoger staat dan de vaten. De rode wijnen zijn fruitig en zacht genoeg om jong gedronken te worden, maar hebben toch voldoende complexiteit, structuur, evenwicht en elegantie om mooi te rijpen. De Vergelegen Cabernet Sauvignon 1995 was een spectaculair succes en won meteen een gouden medaille bij de *International Wine Challenge* in Londen. Misschien produceren de volwassen wijnstokken van Vergelegen in 2025 wel een mini-Lafite.

DOMAINE ROSSIGNOL-TRAPET

Rue de la Petite Issue, 21220 Gevrey-Chambertin, Frankrijk
Tel: (+33) 3 80 51 87 26 Fax: (+33) 3 80 34 31 63
*Bezoekers: alleen op afspraak, het gehele jaar geopend
9.00-12.00 uur en 14.00-18.00 uur*

*D*it wijngoed ontstond in 1990 na de verdeling van het oude *Domaine* Louis Trapet tussen Jean Trapet en zijn zuster Mado, echtgenote van Jacques Rossignol uit Volnay. Deze familie van *vignerons* verwelkomt haar gasten op hartelijke, Bourgondische wijze.

Nicolas en David, de zonen van Jacques, zijn bezig de naam Trapet (enigszins aangetast door een reeks saaie wijnen uit de jaren '80) weer op te poetsen. Nicolas, afgestudeerd aan de prestigieuze wijnschool van Toulouse, weet dat het bij een grote rode bourgogne gaat om de subtiliteit van de smaak, niet om een fors alcoholisch

EXTRA INFORMATIE

EIGENAAR: familie Rossignol-Trapet
WIJNMAKER: Nicolas Rossignol
WIJNGAARD: 14 ha
PRODUCTIE: 6000 dozen per jaar
DRUIVENSOORTEN: 95% pinot noir; 5% chardonnay
GEMIDDELDE LEEFTIJD WIJNSTOKKEN: 40 jaar
PERCENTAGE NIEUW HOUT: 25-30%
AANBEVOLEN RECENTE WIJNJAREN: 1996, 1995, 1993
PLAATSELIJKE RESTAURANTS: Moulin aux Canards, Aubigny; Vendanges de Bourgogne, Gevrey

gehalte. "Pinot noir in de Bourgogne", zegt hij, "is als een hand in een fluwelen handschoen, want de bodem bepaalt zijn karakter. Handmatig plukken is noodzakelijk, want alleen bij een zachte behandeling kan een wijnstok oud worden. De plant moet gezond en virusvrij zijn, want hoe kan een zieke plant goede resultaten leveren?"

De wijnbereiding gebeurt volgens klassieke methoden. De druiven worden deels ontdaan van hun steeltjes en gisten 14-16 dagen in het vat. De Ros-signols proeven de most elke dag om precies te kunnen bepalen wanneer het proces moet stoppen. Ze streven ernaar de diversiteit van hun prachtige *terroirs* – in Chambertin, Latricières-Chambertin, Chapelle-Chambertin en de Beaune- *premier cru* Teurons– volledig in de wijn tot uiting te laten komen. Hun dochterbedrijf in Morey-St.-Denis, *Rue de Vergy*, produceert een uitstekende, kruidige en tamelijk vroegrijpe bourgogne voor een zacht prijsje.

PROEFRAPPORT

LATRICIÈRES-CHAMBERTIN 1995

Bij het openen was de kleur licht vermiljoen, zo'n kleur die critici zonder ervaring in het proeven van grote bourgognes afschrikt; maar na 3 dagen in een afgesloten fles werd de kleur van deze heerlijke wijn zichtbaar donkerder; exquise, teer bouquet dat typerend is voor Latricières; fraaie balans en lengte, heel compleet van smaak. Zeer grote wijn, met lichte hand gemaakt.

Categorie ★★★★★

(De 1992 was een triomf in een wisselvallig jaar.)

De familie vindt dat nieuw hout subtiel gedoseerd moet worden: "Pinot Noir is een heel geurige druif en kan niet te veel eikenhout verdragen. Daarom gebruiken we maar 25% nieuw hout voor onze Villages, 33% voor onze *premier cru's* en soms 50% voor onze *grand cru's,* zoals Le Chambertin."

Het klassieke wijnjaar 1993 was zeer geslaagd voor Rossignol-Trapet. Het jaar 1995 was een uitdaging, want nu was terughoudendheid vereist om alle aroma's en finesse uit de gezonde, rijpe, maar geconcentreerde, tanninerijke druiven te halen. Nicolas doorstond de proef met glans; zijn Latricières 1995 is het bewijs. Dit *domaine* is op de terugweg naar de top.

OVERZICHT VAN WIJNJAREN

*E*en overzicht van wijnjaren is niet meer dan een ruwe graadmeter van de kwaliteit die u van een bepaald jaar mag verwachten. Er zijn natuurlijk vele uitzonderingen. Op het zuidelijk halfrond –met name in de warme wijngaarden van Chili, Zuid-Afrika en Australië– zijn de verschillen tussen de wijnjaren minder groot.

Toch is een dergelijk overzicht handig voor de klassieke rode wijnen van Frankrijk, Italië, Spanje en Californië. Het wisselvallige weer in de belangrijke beginweken van september, vlak voor de oogst, is een factor met een sterke invloed op de kwaliteit van het wijnjaar.

Regio	Jaar	96	95	94	93	92	91	90	89	88	87	86	85	84	83	82	81	80	79	78	77	76	75	74
Bordeaux		**17**	**16**	15	14	12	13	19	18	18	*14*	18	16	*12*	15	20	15	–	16	14	–	*15*	16	–
Bourgogne		**18**	**18**	15	**19**	14	17	**20**	17	18	15	13	17	–	15	13	15	–	16	18	–	16	8	
Rhône		17	**18**	17	14	14	16	**18**	18	17	–	16	17	–	*17*	16	19	–	16	20	–	–	–	–
Piemonte		17	**18**	**16**	**15**	**15**	**14**	**18**	16	18	–	17	18	–	*17*	*15*	16	–	16	20	–	–	–	–
Toscane		17	**19**	16	16	13	15	**19**	*11*	18	–	–	18	–	*17*	16	17	–	16	20	–	–	–	–
Rioja		**17**	**17**	**19**	16	14	15	16	17	14	*18*	*14*	17	–	–	20	–	–	16	–	–	–	–	–
Ribeiro del Duero		17	**18**	**18**	16	15	13	**20**	**17**	15	*15*	*14*	16	–	–	*18*	19	–	–	–	–	*17*	*17*	–
Californië		**19**	**18**	**19**	**17**	18	18	18	18	*12*	*15*	*17*	*15*	**18**	–	–	*14*	–	16	–	*15*	16	–	–	18

VERKLARING

Cijfers 1 (slechtst) tot 20 (best)

17	**Vetgedrukt**: wijn moet nog langer rijpen
17	Normaal gedrukt: kan gedronken worden, maar wordt nog beter
<u>17</u>	<u>Onderstreept</u>: op dronk
17	*Cursief gedrukt*: misschien nog drinkbaar, maar pas op
–	wijnen uit dit jaar zijn moeilijk te vinden

WOORDENLIJST

APPELLATION CONTRÔLÉE: deze classificatie garandeert de authenticiteit en herkomst van goede Franse wijnen met streekaanduiding op het etiket (zoals Volnay, Pauillac, Côte Rôtie).

ASSEMBLAGE: het assembleren of mengen van wijnen uit verschillende vaten.

BARRIQUE: benaming in Bordeaux voor een klein, eikenhouten vat met een inhoud van zo'n 225 l.

CAVE: wijnkelder, gewoonlijk ondergronds.

CHAI: benaming in Bordeaux voor een 'kelder' of opslagruimte voor wijn, gewoonlijk bovengronds.

CHAPEAU: letterlijk de 'hoed' of bovenlaag van de gistende druiven, bestaande uit de pitjes en schillen.

CHÂTEAU: een wijngoed, met name in het wijndistrict Bordeaux.

CLIMAT: een bepaald, nauwkeurig omschreven perceel of wijngaard; deze term wordt vooral in Bourgogne gebruikt.

CRU: letterlijk 'gewas', term om wijn van vaak hoge kwaliteit uit een specifieke wijngaard aan te duiden (zie ook *grand cru* en *premier cru*).

CRU BOURGEOIS: classificatie voor goede wijngaarden in de Médoc, één klasse lager dan de *cru classé*; in de praktijk kan een *cru bourgeois* voortreffelijke wijnen opleveren.

CRU CLASSÉ: classificatie uit 1855 voor de allerbeste wijngaarden van de Médoc (Bordeaux).

CUVE: open vat of tank waarin men de druiven laat gisten tot wijn.

CUVÉE: de uiteindelijke wijn na de assemblage; de *tête de cuvée* is de beste wijn van een producent.

CÔTE: helling; bij namen van wijnen, zoals Côtes de Nuits, zegt de term alleen in algemene zin iets over de herkomst van de wijn.

COTEAU: helling.

DÉBOURBAGE: het decanteren of zuiveren van geperst sap vóór de gisting.

DEMI-MUID: eiken vat met een capaciteit van 500 l.

DEPOT: bezinksel (bijproduct van de gisting) dat tijdens het wijnmaken onder in de tank zakt.

DOC/DOCG: het Italiaanse equivalent van de Franse *appellation contrôlée*, garandeert de authenticiteit van de wijn.

DOMAINE: een wijngoed, met name in de Bourgogne.

ÉGRAPPAGE: het verwijderen van de steeltjes van de druiven vóór het gisten.

FOUDRE: groot houten vat met onbepaalde inhoud.

GÉNÉRIQUE: term voor een wijn van de laagste *appellation*-kwaliteit, zoals bourgogne rouge, beaujolais, Côtes du Rhône.

GRAND CRU: de hoogste classificatie voor de beste wijngaarden, met name in de Bourgogne.

GOÛT DE TERROIR: 'smaak van de aarde' in een quasi-mythische en vrij vage vertaling. In de praktijk gebruikt voor een wijn (meestal een goede) met een genuanceerde, complexe, geconcentreerde smaak en een vleugje mineralen van de grond van de wijngaard.

GRAS: letterlijk 'vet'; gebruikt voor de ronde, soepele, volle textuur en smaak van een goede wijn.

HECTOLITER: 100 liter

LIEU-DIT: naam van een bepaalde wijngaard, vaak met een folkloristische oorsprong (zoals Les Amoureuses ('verliefde vrouwen') in Chambolle-Musigny).

MELKZUURGISTING: omzetting van appelzuur in het mildere melkzuur, waardoor de wijn zachter, ronder en complexer wordt.

MAÎTRE DE CHAI: keldermeester (Bordeaux).

MONOPOLE: term in de Bourgogne voor wijngoed of bepaald perceel van één eigenaar (zoals Clos de Tart, Romanée-Conti).

MOST: het druivensap met vaste bestanddelen voor en tijdens de gisting, voordat het jonge wijn wordt.

NÉGOCIANT: makelaar, handelaar en exporteur van wijn.

NÉGOCIANT-ÉLEVEUR: makelaar/handelaar die druiven inkoopt en er zelf wijn van maakt die hij ook zelf 'opvoedt'.

ÉLEVAGE: het laten rijpen van wijn, oftewel het proces tussen gisting en botteling.

PARCELLE: perceel. Een stukje land of rij wijnstokken in een wijngaard.

PIGEAGE: het omlaag duwen van de zwarte of rode druivenschillen in de wijn tijdens de gisting zodat de kleur donkerder wordt en er zo veel mogelijk extract in de wijn komt.

PREMIER CRU: classificatie; in Bordeaux gebruikt voor een handvol top-*châteaux*, in Bourgogne verwarrend genoeg voor de zogenaamde 'tweederangs'-wijngaarden die onder de *grand cru's* staan.

PRIMEUR: term voor wijn die jong wordt verkocht; vaak lekker om binnen een paar maanden na de oogst te drinken. In Bordeaux ook gebruikt voor wijn die jong wordt gekocht op de 'futures'-markt.

REMONTAGE: het krachtig rondpompen van jonge, gistende wijn om zo veel mogelijk kleur, extract en tannine te verkrijgen; een grovere methode dan *pigeage*.

VIGNERON: wijnbouwer.

VIN DE GARDE: een wijn die men vaak wel 10 jaar moet bewaren en laten rijpen voor al zijn complexiteit tot ontwikkeling komt.

WILD: term van proevers voor bepaalde aroma's en smaken die aan veder- en haarwild doen denken; duidt op kracht en rijpheid van smaak; typerend voor oude rode bourgognes.

ZWAVELDIOXIDE (**HSO$_2$**): desinfecterend gas/bestrijdingsmiddel dat gebruikt wordt om bederf van de wijn te tegen te gaan. Te veel HSO$_2$ levert een onprettige bijsmaak op – en hoofdpijn naderhand.

REGISTER

A

Alamos Ridge Cabernet Sauvignon 234
albillo, druif 144
Angludet, Château d' 154-155, 189
Argentinië 47, 232-234
aroma 49
'Art Series' Cabernet Sauvignon 185
Australië 24-25, 32-33, 34, 35, 41, 443, 96-97, 106-107, 131-132, 162, 184-185, 193-195, 221, 235-236

B

Bandol 45, 151
barbera, druif 147
  wijn 148-149
barriques 78, 81, 118, 140, 141, 148, 155, 166, 215
Bava 147-149
Beaucastel, Château de 65-67
Beaujolais Nouveau 165 173
Beaujolais, district 165, 172, wijn 39, 52, 165, 166, 173
Beaune Clos des Mouches 77
Beaune, district 9, 76, 79, 88, 98, 99, 151, 166, 223
  wijn 11, 48, 77, 99
Beaune Clos des Ursules 99
bereiding van rode wijn 36-39
bewaren van rode wijn 52
bodem 31-32
Bordeaux, district 9, 12, 34, 40, 43, 60, 79, 94, 95, 104, 117, 118, 119, 124, 125, 129, 131, 133, 136, 139, 154, 160, 170, 189, 199, 215, 238, 239
  glas voor 54
bouquet 49
Bourgueil Vamoureau 80, 81
Bourgogne Rouge La Digoine 168
Bourgogne, district 9, 29, 36, 38, 41, 42, 86, 98, 99, 115
  glas voor 54
Bunan Bandol, Domaines 150-151

C

Caballo Loco 219-220
Caballo Loco Number One 220
cabernet franc, druif 34, 43, 51, 60, 81, 139, 140, 141, 215, 241, 247
  wijn 215
cabernet sauvignon, druif 23, 30, 33, 34-35, 40-41, 43, 48, 51, 58, 64, 85, 90, 97, 106, 120, 125, 130, 131, 132, 139, 140, 141, 144, 156, 175, 192, 208, 214, 218, 220, 226, 230, 241, 247

wijn 23, 34, 42, 70, 118, 121, 123, 137, 139, 142, 143, 149, 174, 185, 193, 194, 208, 218, 219, 221, 222, 231, 232, 233-234, 235, 246, 247
Cabernet Sauvignon Hillside Select 208
Californië 20-23, 32, 34, 41, 44, 45, 47, 103, 121-123, 137-139, 142-143, 152-153, 174-175, 203-205, 206-208
Cape Mentelle 221-222
Cape Mentelle Shiraz 222
carignon, druif 139
Castell'in Villa 57-58
Cèdre, Château du 228-229
Champy Père et Cie. 223-225
chardonnay, druif 90, 153, 156, 247
  wijn, 103, 107, 175, 185, 195, 204, 207, 227, 232
Château de Beaucastel, Châteauneuf-du-Pape 67
Château des Jacques, Rochegres 166
Château de la Rouvière 151
Château Pichon Longueville Comtesse de Lalande 136
Châteauneuf-du-Pape, district 42, 65
  wijn 44, 45, 66, 67
Cheval Blanc, Château 43, 59-61
Chevalier, Domaine de 68-70
Chianti 18, 47, 58
Chili 41, 125, 127-128, 230-231
cisterciënzers 9-11
Clos de la Roche, Domaine Dujac 88
Clos du Val Cabernet Sauvignon Reserve 175
Coates, Clive: *Grands Vins* 117
Corton Bressandes 225
Cos d'Estournel, château 62-64
Côte Rôtie, district 173
  wijn 9, 42, 91, 92-93, 100-101
Côte Rôtie Château d'Ampuis 92, 93
Côtes du Rhône, wijn 39, 229
criolla, druif 20
Cuvaison Eris Pinot Noir 153
Cuvaison 152-153

D

decanteren 53-54
Domaine Thalabert, Crozes-Hermitage 75
Domaine Paul Bruno Cabernet Sauvignon 218
Domaine Drouhin Oregon Pinot Noir 170, 171
DRC *zie* Romanée-Conti, Domaine de drooglegging 20
Drouhin, Maison Joseph 76-78
Druet, Pierre-Jacques 79-83

druivensoorten 18, 33, 34, 40-47 (*zie* ook bij individuele soorten)
Duboeuf, Georges 172-173, 191
Ducru Beaucaillou, Château 84-85
Dujac, Domaine 86-88

E
Echeverría 230-231
Echeverría Cabernet Sauvignon Family Reserve 231
Engelse markt 12-16
Esmeralda, Bodega 232-233

F
Fairview 28
Fairview Shiraz 177
fer servadon, druif 192
Fleurie Domaine des Quatre Vents 173

G
Gaja Barbaresco 90
Gaja, Angelo 89-90
geschiedenis van rode wijn 8-28
Gigondas 44
glazen 54
Gramp, Tim, Wines 44, 235-236
grenache, druif 34, 42, 44, 45, 46, 66, 151
  wijn 235, 236
Guigal, Etablissements 74, 91-93

H
Hamilton Russell Pinot Noir 181
Hamilton Russell Vineyards 28, 179-181
Hanson, Anthony: Bourgogne 32
Haut-Brion, wijn 14, 94, 109, 163
Haut-Brion, Château 94-95, 119
Henschke, C. A. 37, 43, 96-97, 132
Henschke Hill of Grace, Keyneton Shiraz 97
Hermitage, wijngaard 37
  wijn 25, 42

I
Italië 18, 46-47, 147-149, 237-238

J
Jacques, Château des 165-166
Jadot, Maison Louis 98-99
Jasmin, Domaine Robert 100-10
Juillot, Domaine Michel 182-183

K
kleur 48, 49
klimaat 29-31

L
La Tâche 72
Lafarge, Domaine Michel 102-103

Lafite-Rothschild, Château 62, 104-105, 116, 119, 125, 174, 198, 247
Lake's Folly Cabernet Sauvignon 1078
Lake's Folly Vineyards 106-107
Lamarque, Château de 159-160
Latour, Château 110-112, 119, 125, 136, 163, 197
Latricières-Chambertin 249
Le Pin 133, 242
Leeuwin Estate 184-185
Leroy, Domaine 113-115
Loire, district 29, 43, 80
  wijn 79, 81
Lynch-Bages, Château 116-118, 197

M
Madiran 191-192
malbec, druif 144, 229
  wijn 232
Maréchal, Domaine Jean 186-187
Margaux, Château 119-120, 155
Markies van Griñón 156-157
Marqués de Griñón Cabernet Sauvignon Reserva 157
Masseto 238
McLaren Vale Grenache 236
medicinale werking 53
Mercurey Clos Tonnerre 183
Mercurey Cuvée Prestige 187
merlot, druif 34, 41, 43-44, 60, 64, 109, 130, 133, 136, 143, 144, 156, 157, 175, 215, 218, 220, 238, 241, 247
  wijn 139, 153, 207-208, 219, 227
Mission Haut-Brion, Château de la 95, 108-109
Monbrison Château 188-190
Mondavi, Robert 121-123, 125, 185
Montus, Château 191-192
Mouton-Rothschild, Château 41, 116, 124-125
mouvèdre, druif 24, 45, 151
  wijn 45, 139
Muga Reserva 127
Muga, Bodega 126-128

N
Napa Valley, district 25, 47, 121, 123, 139, 142, 152, 204, 206, 207
  wijn 143, 204, 233
nebbiolo, druif 33, 34, 46-47, 51, 90, 147
Nieuw-Zeeland 26, 33, 42, 221, 243-244

O
oogsten 35
Oostenrijk 212-213
Opus One 122, 125
Oregon 41, 77, 78, 169-171
Örnellaia, Tenuta dell' 237-238

P

Palacio de la Vega, Bodega 226-227
Palacio de la Vega Crianza 226-227
Pape Clément, Château 129-130
Paul Bruno, Domaine 217-218
Penfold's Grange 25, 131-132
Penley Estate 193-195
Penley Estate Coonawarra Reserve
   Cabernet Sauvignon 194
petit verdot, druif 139, 156
Petrus, Château 43, 133-134
Pez, Château de 163-164
Phélan Ségur, Château 239-241
Pichon Comtesse, Château 135-136,
   197
pinot noir, druif 11, 26, 30, 33, 34,
   38, 41-42, 47, 51, 77, 162, 179,
   181, 204, 212, 243, 249
   wijn 23, 28, 31, 42, 103, 153, 168,
   169, 170, 175, 108, 181, 203, 204,
   205, 219, 243, 244
Pinotage 178
Pomerol 14, 43, 59, 133, 238
Portugal 46
Poujeux, Château 198-200
Pousse d'Or, Domaine de la 161-162
proeven van rode wijn 49-51

R

Ridge Vineyards 45, 137-138
Rioja, district 17, 126, 127, 201, 202
   wijn 157
Rioja Alta, La 201-202
Robert Mondavi Cabernet Sauvignon
   Reserve 123
Romanée St.-Vincent 115
Romanée-Conti, Domaine de la 71-73,
   114, 167, 168
Rossignol-Trapet, Domaine 248-249

S

Saintsbury 203-205
Saintsbury Reserve Pinot Noir 205
San Guido Sassicaia 140-141, 238
sangiovese, druif 34, 47, 58, 208, 247
Santa Croce 58
Sassicaia 141
schenken van rode wijn 52-53
Shafer Vineyards 44, 206-208
shiraz, wijn 25, 28, 97, 177, 195,
221, 222, 236
shiraz, druif *zie* syrah
Silver Oak Cabernet Sauvignon
   Alexander Valley 143
Silver Oak Cellars 142-143
Spanje 16-18, 45, 126-128, 144-145,
   156-158, 201-202, 219-220, 226-
   227
St.-Émilion 14, 25, 43, 141, 209, 238
St.-Helena Estate Pinot Noir 244
St.-Helena Wine Estate 243-244
St.-Laurent vom Stein, Umathum 213
Stradivario Collezione Quintetto Bava
   149
syrah, druif 34, 37, 41, 42-43, 51, 75,
   92, 97, 101, 131, 132, 156, 177

T

tannat, druif 190, 229
tempranillo, druif 34, 44, 45-46, 144,
   157, 226
Thalabert, Domaine de 74-75
Troplong Mondot, Château 209-211

U

Umathum, Joseph 212-213

V

vaten 38-39, 60, 67, 69, 73, 75, 81,
   88, 99, 115, 127-128, 160, 218
Vega Sicilia Gran Reserva 145
Vega Sicilia, Bodega 144-15
Vergelegen 245-247
Vergelegen Cabernet Sauvignon 246,
   247
Villaine, A & P de 167, 168
Viña Ardanza 202
Volnay Clos des 60 Ouvrées 162
Volnay Domaine Michel Lafarge 103

W

Warwick Estate 214-215
Warwick Estate Cabernet Franc 215

Z

zinfandel, druif 23, 139
   wijn 48, 137, 175, 222
Zuid-Afrika 27-28, 41, 43, 176-178,
   179-181, 214-215, 245-247

Dankbetuiging

De uitgever wil allen bedanken die een bijdrage aan dit boek hebben geleverd.

blz. 7, 27 e.t. archive; blz. 9, 10 Roger Viollet; blz. 14 Pichon Longueville
Comtesse de Lalande; blz. 15, 23, 25, 31, 32, 33, 34, 35, 37, 38, 40, 42, 44,
45, 46, 47, 231 Janet Price; blz. 16 Bodega Muga; blz. 20 San Guido Sassicaia;
blz. 27 Liz Mott; blz. 60, 61 (boven) Serge Bois-Prevost; blz. 69, 70 Gilles
d'Auzac; blz. 177, 178 Emma Borg.